L’ivresse de l’interdit

KAREN ANDERS

L'ivresse de l'interdit

COLLECTION Andace

éditions Harlequin

Cet ouvrage a été publié en langue anglaise
sous le titre :
MANHANDLING

Traduction française de
CLAIRE NEYMON

HARLEQUIN®

est une marque déposée du Groupe Harlequin
et Audace® est une marque déposée d'Harlequin S.A.

Photo de couverture :
© MAURITIUS / PHOTONONSTOP

83-85, boulevard Vincent-Auriol, 75013 PARIS — Tél. : 01 42 16 63 63
Service Lectrices — Tél. : 01 45 82 47 47
ISBN 2-280-17492-8 — ISSN 1639-2949

1.

Réchauffez un instant l'huile de massage entre vos paumes, puis laissez lentement glisser vos mains le long de ses épaules. Massez-les doucement, savourez la texture de sa peau, la souplesse de ses muscles sous vos doigts. Sentez-le se détendre, s'abandonner...

Prenez alors le flacon d'huile et laissez-en glisser un mince filet du creux de son cou jusqu'au nombril. Il tressaille ? Parfait... Profitez de sa réaction et...

— Mademoiselle Malone, je crains que votre père ne soit retenu. Il vous prie de l'excuser.

Lucy Sheridan, la secrétaire de William Malone, se tenait devant la double porte du bureau, lèvres pincées, droite comme la justice.

Laurel laissa tomber son magazine sur ses genoux, la magie du massage sensuel aussitôt envolée. Lucy avait une voix à vous glacer sur place. Une voix en parfaite adéquation avec le lieu, l'une des entreprises de courtage les plus florissantes et les plus prestigieuses de Manhattan. Laurel détestait cet endroit. Froid, déshumanisé, empli de gens qui s'y mouvaient tels des automates.

D'un geste, elle rejeta ses longs cheveux noirs par-dessus son épaule et ferma les yeux, s'efforçant de conserver son calme. Elle avait particulièrement insisté auprès de son père pour qu'il déjeune avec elle. Elle tenait à lui parler de l'hommage qu'elle souhaitait rendre à sa mère et du peu d'intérêt qu'il manifestait à l'égard de son initiative.

Anne Wilkes Malone avait été l'instigatrice de la somptueuse collection d'œuvres Arts déco qui se trouvait actuellement exposée au Metropolitan Museum de New York. Pour honorer la mémoire de sa mère, Laurel avait décidé d'organiser une vente aux enchères et de faire don des gains au musée. Cela lui paraissait la façon la plus appropriée de commémorer sa disparition.

La vente devait se tenir dans deux semaines et la salle prévue chez Christie's n'était plus disponible. A la suite d'une erreur, elle avait été louée deux fois, et Laurel devait trouver un nouveau lieu pour accueillir l'événement.

Elle avait besoin des conseils et, surtout, de l'aide de son père. Mais chaque fois qu'elle avait demandé à le voir pour aborder le sujet, il s'était décommandé. Il n'était quand même pas possible qu'il refuse d'en parler ! s'énerva-t-elle intérieurement. Il avait toujours adoré sa mère.

— Très bien, j'attendrai, déclara Laurel d'une voix qu'elle voulait neutre.

La dévouée secrétaire eut un hochement de tête, puis elle tourna les talons et referma derrière elle la lourde porte de chêne.

Habituée à l'emploi du temps souvent imprévisible de son père, Laurel avait apporté le dernier numéro de *Belle et Sexy*. Elle s'efforça de se concentrer sur la lecture de son article. Peine perdue. Elle le terminerait chez elle. Fantasmer sur un massage sensuel avec un homme nécessitait un environnement plus intime, et davantage de disponibilité.

De fait, la vente aux enchères et les réticences de son

père n'étaient pas les seules questions qui la préoccupaient aujourd'hui.

Elle se saisit du magazine et feuilleta rapidement les pages d'un geste nerveux.

« Calme, sérénité, maîtrise de soi. » Il lui semblait entendre encore la voix douce de sa mère. « Une femme se doit de ne jamais laisser paraître ses émotions. Elle se comporte en professionnelle, quelles que soient les circonstances. »

Certes ! Mais si Laurel parvenait à afficher un calme de surface, elle bouillait intérieurement. Voilà à peine un mois qu'elle avait été promue à la Waterford Scott en tant qu'analyste financier, et M. Herman laissait courir le bruit que la gestion du compte Spegelman dont elle s'occupait allait être confiée à Mark Dalton. Mark Dalton, si charmant au départ, et qui la regardait maintenant d'un air bizarre…

Laurel ne comprenait pas pourquoi on lui ôtait ce dossier. Pour la décharger d'une partie de son travail, lui avait-on dit, et lui permettre de se consacrer à ses clients les plus exigeants, mais cette raison sonnait faux. Elle pouvait parfaitement se charger de la gestion de ce compte sans que le reste de son travail en pâtisse pour autant.

Elle ferma les yeux et prit une grande inspiration. Ressasser ne servirait à rien. Le mieux était de ne plus y penser, se dit-elle, baissant les yeux vers le magazine ouvert sur ses genoux. Sa belle-sœur, Haley, rédactrice en chef, avait vraiment le don de choisir les hommes qui posaient pour *Belle et Sexy*. En avant-première de l'été qui approchait à grands pas, ce numéro présentait quelques magnifiques spécimens masculins. L'un allongé sur la plage, l'autre faisant du surf et… cerise sur le gâteau, un véritable étalon en train de se doucher en plein air. Oh, Seigneur !

Depuis qu'elle avait obtenu son poste, Laurel travaillait beaucoup et jusqu'à des heures impossibles. Il y avait longtemps qu'elle n'avait plus goûté à la caresse merveilleuse des lèvres d'un homme sur sa peau brûlante de désir, trop longtemps qu'elle n'avait plus senti le poids délicieux d'un corps chaud et musclé pressant le sien, ni éprouvé l'ivresse de cet instant où le sexe de l'homme vous fait sienne, chair contre chair, intensément, profondément. Rien ne pouvait remplacer ces sensations bouleversantes. Elle avait envie de faire l'amour, envie d'un homme.

Encore un sujet de discorde avec son père ! songea-t-elle avec un soupir. Il ne se gênait pas pour lui dire ce qu'il pensait des hommes avec lesquels elle sortait. Elle avait beau avoir vingt-huit ans, il persistait à vouloir contrôler sa vie et elle le laissait faire en grande partie. Son influence s'était encore accrue depuis la disparition de sa mère, un an plus tôt.

Pourtant, Laurel appréciait ses conseils, elle savait qu'il ne songeait qu'à son bien. C'était d'ailleurs pour cela qu'elle s'était laissé convaincre lorsqu'il avait décrété que la finance lui conviendrait à merveille, et elle avait cédé en acceptant ce poste extrêmement bien rémunéré à la Waterford Scott, l'une des cinq sociétés financières les plus prestigieuses du pays.

Mais elle savait aussi imposer ses choix et remporter ses petites victoires, comme d'habiter à SoHo alors qu'il aurait voulu qu'elle s'installe dans les quartiers chic de Manhattan. Elle avait également obtenu de gérer elle-même l'héritage de sa mère.

Son père aurait voulu qu'elle s'engage, qu'elle se marie avec un homme bien, respectable. Elle en avait envie, elle aussi, là n'était pas la question. Mais c'était l'entêtement de son père à ce que ce soit quelqu'un qui travaillait pour lui qui coinçait. Qu'avait-elle à faire d'un homme fade et ennuyeux, passant sa vie dans ce mausolée ? Un homme prêt à exaucer le moindre souhait de son père. Laurel voulait d'un homme qui saurait lui tenir tête, justement, et qui exaucerait ses souhaits à *elle*. Mais la volonté de William Malone était inébranlable et elle craignait fort de se retrouver un beau jour mariée exactement au genre d'homme qu'il souhaitait pour elle. Sa vie serait alors aussi sinistre que ce bureau.

Laurel poussa un soupir. Décidément, elle voyait tout en noir aujourd'hui. Il ne fallait tout de même pas dramatiser, songea-t-elle, se remettant à feuilleter son magazine. Elle tomba bientôt sur la rubrique qu'elle adorait : le test du mois.

Un frison d'excitation la parcourut lorsqu'elle en lut le titre : *Quel type d'homme vous fait craquer ? Un homme en uniforme ou un aventurier chevauchant une Harley ? Pour le savoir, répondez vite aux questions et découvrez lequel de ces messieurs vous fera perdre la tête !*

Laurel jeta un coup d'œil à sa montre. Son père allait certainement en avoir encore pour un bon quart d'heure. Elle n'allait pas passer son temps à se ronger les sangs à propos de l'hypothétique perte d'un client. De plus, elle était très curieuse de savoir dans les bras de quel type d'homme elle se verrait bien chavirer.

Chavirer… Comme si sa vie n'était qu'ivresse et aventures. Elle qui avait toujours été la petite fille sage et obéissante, faisant exactement ce que l'on attendait d'elle : études brillantes, réussite professionnelle en rapport. La fille parfaite.

Alors, peut-être était-il temps d'en finir, de mettre un peu de folie dans son existence et de découvrir qui possédait toutes les qualités pour l'emmener au septième ciel. Rien que d'y penser, elle se sentit parcourue de délicieux frissons.

Bon. Laurel prit une grande inspiration. C'était parti ! Quel que soit le résultat du test et la catégorie à laquelle appartiendrait l'élu : le battant, le gentil voisin, le rebelle ou l'homme en uniforme, elle partirait à sa recherche et ferait avec lui tout ce qui peuplait ses fantasmes. Certes, il y avait de grandes chances pour qu'elle épouse un jour un homme tranquille et posé, mais pour l'instant, elle était jeune et libre et elle voulait vivre une aventure débridée, une passion, bref quelque chose de fou que son père ne pourrait que désapprouver. Au diable les contraintes ! Il soufflait un vent d'indépendance et Laurel entendait profiter de la vie.

Elle se pencha pour attraper un stylo dans son sac et arracha la page du magazine. De délicieux picotements parcoururent ses reins lorsqu'elle la posa sur ses genoux et lut la première question. Elle cocha rapidement les réponses et tourna la feuille pour découvrir qui était l'élu et lire le commentaire.

La porte du bureau s'ouvrit soudain et Laurel leva la tête, s'attendant à voir son père. Mais c'était de nouveau sa secrétaire.

— Laissez-moi deviner, dit Laurel. Il ne peut pas déjeuner avec moi.

— Il est absolument désolé, mais les clients ont insisté et le retiennent à déjeuner.

Et les clients primaient sur tout le reste, songea Laurel, des larmes jaillissant brusquement dans ses yeux. Elle cilla à plusieurs reprises pour les refouler. Pourquoi son père agissait-il ainsi ? C'était incompréhensible.

Elle se leva, fourra la page de test dans son sac.

— Merci. Je crois qu'il vaut mieux que je retourne travailler.

— Il est sincèrement désolé, je vous assure, mademoiselle Malone.

Laurel saisit son magazine, sa veste de tailleur et gagna la porte. Sur le seuil, elle se retourna avec un petit sourire.

— Je n'en doute pas.

Puis, d'un pas décidé, elle emprunta le couloir, son sac bondissant sur sa hanche tandis qu'elle marchait vers la sortie.

Théodore Mac Tolliver ne se laissait pas facilement impressionner. Mais la femme qui s'avançait dans sa direction le subjuguait, il n'y avait pas d'autre mot. Son magnifique regard brun glissa sur lui sans s'y arrêter, exactement comme s'il n'existait pas. Elle portait une tenue assez stricte, mais la jupe droite de son tailleur soulignait une silhouette tout en courbes, sensuelle et très sexy. Une silhouette à se damner, tout bonnement. Le décolleté légèrement plongeant de son chemisier laissait entrevoir sa gorge, et il serra le poing tant l'envie était forte de caresser sa peau claire, satinée.

Tandis qu'elle passait devant lui, quelque chose s'échappa de son sac, mais Mac était trop obsédé par la question qui lui brûlait les lèvres pour y prêter attention.

— Qui est-ce ? demanda-t-il à son assistante, Sherry Black.

— Vous me demandez qui elle est ? répéta Sherry. Mais c'est la fille du patron, Laurel Malone.

Elle se tourna vers lui.

— Autant l'oublier tout de suite.

— Pourquoi ?

— Je la connais depuis que nous sommes toutes petites. Elle ne sort pas avec des hommes dans votre genre.

— Des hommes dans mon genre ?

— Oui, exactement. Les hommes qui travaillent pour son père ne s'impriment même pas sur son radar. Elle serait incapable de dire à quoi vous ressemblez. Vous êtes totalement invisible pour elle.

— Et pourquoi ne sort-elle jamais avec des hommes qui travaillent pour son père ?

— Parce qu'il en serait ravi.

Mac dévisagea son assistante, intrigué.

— Et c'est un problème ?

— Oui. Un énorme problème !

— Elle trouve les financiers ennuyeux ?

— C'est un euphémisme…

En soupirant, Mac se détourna et prit la direction de son bureau. Mais soudain, il aperçut une feuille de papier sur le sol. Il se baissa pour la ramasser et vit qu'il s'agissait d'un test tout droit sorti d'un magazine féminin. *Quel type d'homme vous fait craquer ?* lut-il.

Il se redressa, le regard fixé sur Laurel, époustouflante de profil tandis qu'elle parlait à la réceptionniste, à l'accueil.

Il s'avança vers elle. C'était l'occasion ou jamais de faire connaissance. Invisible, lui ? Il avait fait de brillantes études, dans les meilleures écoles, et il venait de décrocher un poste à la Malone Financial Services il y avait tout juste une semaine, et pour un salaire double de celui de son poste précédent. Il était compétent et plutôt doué comme garçon. Alors, si elle voulait bien poser les yeux sur lui, elle ne pourrait que constater qu'il existait bel et bien.

Soudain, il s'arrêta. Il avait en main un aperçu de ce que Laurel Malone considérait comme l'homme idéal. Après tout, ne tenait-il pas là un moyen de l'aborder bien plus intéressant ? A condition qu'il ait le cran de jouer le jeu, bien sûr… A cette perspective, une brusque poussée d'adrénaline s'empara de lui.

Il regarda la feuille dans sa main puis de nouveau Laurel. Non, vraiment, il ne pouvait pas laisser passer la chance qui lui était donnée de découvrir s'il correspondait à ce qu'elle désirait chez un homme.

Il fit demi-tour et gagna son bureau, refermant soigneusement la porte derrière lui. Une fois installé, il se mit à étudier les questions et la façon dont elle y avait répondu.

Au dos du test se trouvait le descriptif de quatre types d'hommes. Il lut :

6 points et moins. Le battant.

C'est un homme décidé et responsable. Il sait ce qu'il veut et met tout en œuvre pour l'obtenir. Il en ira de même avec vous, vous pouvez en être certaine. Il déploiera tous ses charmes pour vous séduire et pimentera votre vie d'une inoubliable idylle.

De 7 à 14 points. Le gentil voisin.

Il est tendre, attentionné et vous fera fondre par sa gentillesse. Que ce soit pour réparer votre voiture ou un robinet qui fuit, il répond toujours présent. Mais ne sous-estimez pas la passion qui couve en lui. Il a plus d'une corde à son arc et sait faire de chaque jour de l'année un véritable feu d'artifice.

De 15 à 21 points. Le rebelle.

Ne comptez pas sur lui pour respecter les règles. Toujours en marge, c'est un insoumis qui agit selon ses propres lois. Aventurier ou motard, son charme diabolique vous fera oublier toutes vos inhibitions et abandonner toute prudence. Suivez-le si vous voulez goûter à l'ivresse de l'interdit et vivre une passion à cent à l'heure.

21 points et plus. L'homme en uniforme.

Du pompier au policier en passant par le militaire, il n'existe pas beaucoup de femmes que l'uniforme laisse indifférentes. Il est fort, musclé, courageux et si vous rêvez d'être secourue, il est l'homme de la situation. Il affronte chaque jour le danger avec passion, alors préparez-vous à vivre le grand frisson lorsqu'il vous enlèvera dans ses bras.

Mac additionna les points. Dix-sept. Le type d'homme de Laurel Malone était le rebelle. Il poussa un soupir. Il ne pouvait y avoir plus différent de lui ! Aux antipodes, même. Il n'était ni désinvolte ni rebelle. Il ne dépassait jamais les limites de la bienséance, de la décence. Pourquoi ? C'était très simple. Il savait ce que c'était que de travailler dur et de se faire une place dans ce monde en en respectant les règles. Les enfreindre n'était pas dans sa nature. Son profil ressemblait davantage à celui du battant, mais il aurait dû se douter que Laurel rêvait d'un homme aussi éloigné que possible du type cadre financier.

Il ne jouait pas dans la même division qu'elle. Il était même carrément hors jeu.

Haley Malone hocha la tête.

— Bon, si j'ai bien compris, ce qui t'intéresse désormais c'est d'avoir une aventure torride avec je ne sais quel aventurier rebelle, et motard de surcroît, c'est bien ça ?

Laurel jeta un regard en biais à sa belle-sœur.

— Tout juste.

Le jeudi soir, elle dînait avec Haley, son mari, Dylan, et Margo Grant. Margo, la meilleure amie d'Haley, était également l'associée de Dylan. Un an plus tôt, ils avaient créé la Silverwire Partnership, une agence de publicité très florissante. Ce n'était qu'après le mariage de Dylan avec Haley que Laurel était devenue l'amie intime des deux femmes. Et le moment était particulièrement bien choisi pour leur faire part de ses projets. En effet, elle venait juste de prendre la décision de se lancer à la recherche de l'élu du test.

Laurel continua de trancher les tomates pour la salade. Le repas avait lieu dans la superbe maison de son frère et de sa belle-sœur. Ils avaient décidé de quitter New York pour vivre au grand air, mais ils avaient conservé leur loft de Greenwich Village pour les jours où ils souhaitaient passer un peu de temps en ville.

— Tout ça à cause de ce test dans *Belle et Sexy* ? demanda Margo, perchée sur le coin de la table, en train de siroter son verre de vin blanc.

— Eh oui, répondit Laurel à la jolie rousse aux jambes interminables.

Margo et Haley échangèrent un regard.

— Cela ne te ressemble guère, dit Haley.

— Raison de plus pour que je le fasse, non ? Toute ma vie, j'ai été une gentille petite fille obéissante. Il est grand temps que les choses changent.

Dylan fit irruption dans la cuisine.

— Oh, je vois que le clan est très occupé. On dirait que ça sent bon, par ici, néanmoins…

Haley sourit et souleva le couvercle de la casserole de chili. Dylan se pencha.

— Hum…

— Maintenant, sois un amour et va jusqu'à la boulangerie chercher du pain. Tu sais, celui que j'aime, les baguettes françaises.

— Nous n'en avons plus ?

— Non.

— O.K.

Dylan attrapa les clés de la voiture et quelques instants plus tard, elles entendirent la porte d'entrée se refermer.

Margo ouvrit le placard à pain.

— Ça ressemble à des baguettes ça, non ?

— Il n'est pas question que Dylan traîne dans les parages pendant que nous discutons de cette histoire de motard !

— Tu as raison, admit Margo.

— Tu te rends compte s'il en parlait à ton père, renchérit Haley en se tournant vers Laurel.

— Il ne ferait jamais ça.

— Tu crois ? Tu sais comment sont les hommes. Totalement imprévisibles, parfois. Bon, alors, tu as un plan ?

— Oui. Sherry Black. Elle travaille pour papa. Elle veut acheter une moto pour son petit ami, et figurez-vous que le frère de son patron possède justement un magasin de motos. Nous y allons samedi.

— Tu comptes aussi acheter une moto ? ironisa Margo.

— Qui sait ? En tout cas, c'est le lieu idéal pour rencontrer des motards, non ?

Les deux amies éclatèrent de rire et Laurel se rembrunit.

— Je ne vois pas ce qu'il y a de drôle. Vous avez mieux à proposer ?

Devant leur silence, elle afficha un petit sourire satisfait.

— Vous voyez. L'idée n'est pas si mauvaise.

— Surtout que tu viens de m'en donner une autre, répondit Haley, pensive.

— Ah oui ?

— Si tu trouves ton motard et que ça marche entre vous, on pourrait organiser une petite soirée au journal, sur le thème : *Montrez-nous l'homme qui vous fait craquer !* Et tu pourrais l'y emmener !

Laurel croqua dans un quartier de tomate.

— Pourquoi pas ? Au point où j'en suis, allons-y, jouons le jeu jusqu'au bout.

— Génial ! Nous pourrions lancer l'invitation sur le

site de *Belle et Sexy* et les cinquante premiers couples qui répondraient seraient invités. Voyons voir… Vendredi soir en quinze, ça t'irait ?

— Ce serait un très bon coup publicitaire pour le magazine ! s'exclama Margo. Mais en attendant, Laurel, au lieu d'aller chercher ton Roméo dans je ne sais quel minable magasin de motos, tu pourrais peut-être en rencontrer un plus select…

— Je me moque qu'il soit select. Ce qui compte, c'est l'allure.

— Quelle allure ?

— Provocatrice, répondit Laurel avec un petit sourire. Le genre qui se moque éperdument de ce que pensent les autres.

Haley fit entendre un petit rire.

— Tu veux dire le genre de types qui sont la plupart du temps de parfaits crétins ?

— Idée totalement reçue, répliqua Laurel avec une grimace. Mais tu verras…

Margo leva son verre.

— Très bien. Alors, à l'ivresse dans les bras des hommes ! lança-t-elle.

Haley rit et brandit à son tour son verre, de concert avec Laurel.

— A l'ivresse, répétèrent-elles en chœur.

Tyler Hayes, le demi-frère de Mac, s'adossa au mur de l'atelier.

— Bon, si j'ai bien compris, tu as ramassé un test tombé du sac de cette fille à ton bureau.

L'atelier était relié au magasin par une porte vitrée qui

permettait à Tyler de surveiller les clients en train d'admirer les motos flambant neuves.

— Oui. Et la demoiselle en question n'est autre que la fille du patron.

— Super. Et bien entendu, elle rêve d'une espèce de type en moto plutôt que d'un garçon charmant et sensible comme toi ?

— Ça me dépasse, mais c'est comme ça, répondit Mac en lui jetant un regard en biais tout en s'efforçant de desserrer un boulon sur la moto qu'il était en train de réparer.

On était samedi matin et il travaillait au magasin dont ils étaient propriétaires. Tyler s'occupait des achats et de la vente et Mac de la comptabilité et des finances. Mais il n'avait pas son pareil lorsqu'il s'agissait de mécanique. Pour rompre la monotonie de son travail de financier de haut vol et se vider l'esprit, il aimait le travail physique et venait aider son frère chaque fois que c'était possible.

— Ce n'est pas de chance pour toi que maman ait épousé un type comme ton père lorsqu'elle s'est remariée ! s'exclama Tyler. Du coup, tu as hérité du nom et de l'école privée qui allait avec…

— Papa a toujours voulu ce qu'il y avait de mieux pour moi, le coupa Mac d'une voix plus sèche.

— Eh, du calme, frérot, je n'ai jamais dit le contraire ! Et je suis bien placé pour savoir que maman a bien fait d'épouser Théodore Tolliver après que mon bon à rien de père l'avait quittée !

Comme chaque fois, Mac sursauta en entendant le nom de son père. Pendant toute son enfance, le fait de porter le même prénom que son père l'avait mis mal à l'aise, et dès qu'il l'avait pu, il avait préféré se faire appeler de son deuxième prénom, Mac. D'ailleurs, Tyler ne l'avait jamais appelé autrement. Il releva la tête vers son demi-frère et lui sourit. Ce dernier l'avait toujours soutenu, et Mac se rendait compte à présent de la chance qu'il avait eue de grandir à ses côtés. D'autant que ses autres demi-frères, beaucoup plus âgés, n'avaient eu aucune envie de s'encombrer d'un bambin. Mais pas Tyler. Quoique de trois ans son aîné, il l'avait pris sous son aile. L'école privée, l'université, tout cela ne l'intéressait guère. Mais il était entreprenant et il avait choisi de monter son affaire. Des deux, c'était lui le plus proche du rebelle que cherchait Laurel.

— Et elle s'appelle comment, cette nana ?

— Laurel Malone.

La sonnerie de la porte du magasin retentit soudain et ils levèrent tous deux la tête. Mac reconnut Sherry à l'instant où elle entra. Il recula d'instinct, ne voulant pas qu'elle le voie. Il soignait son image de cadre performant et ne tenait pas à ce que l'on sache qu'il se transformait en mécano couvert de cambouis le week-end.

Mais lorsqu'il jeta de nouveau un regard en direction de l'entrée, la situation avait empiré. Juste derrière Sherry se trouvait Laurel.

— C'est elle ! s'exclama-t-il, laissant échapper la clé qui rebondit sur le sol avec un claquement métallique.

— Qui, elle ? La nana du test ?

— Oui, Laurel !

— Que fait-elle ici ? demanda Tyler.

— Elle est avec Sherry, mon assistante.

Devant le regard étonné de son frère, il ajouta :

— Mais si, tu sais bien, je t'ai parlé de Sherry. C'est elle qui veut acheter une moto pour son petit ami. Comme elles sont copines, toutes les deux, Sherry a dû lui demander de l'accompagner…

— Très bien. Dans ce cas, allons nous occuper d'elles.

Tyler gagnait déjà la porte. Il sentit que Mac ne le suivait pas et se retourna, l'air interrogateur.

— Je ne veux pas qu'elles me voient ici ! J'ai une image à préserver dans l'entreprise, je tiens à ma réputation.

— La star ! lança Tyler en riant. Allez, Cendrillon, remets-toi au travail, je m'en occupe.

Toute plaisanterie mise à part, Mac aurait été mortifié que quelqu'un d'étranger à la famille puisse le voir ainsi. Il n'était pas particulièrement à son avantage avec son vieux jean un peu trop moulant et un T-shirt qui avait connu des jours meilleurs. Et pour couronner le tout, il portait sa casquette de base-ball vissée sur la tête, visière à l'arrière, pour dégager ses cheveux. Quelle allure ! D'autant qu'il ne se rasait jamais le samedi matin. Il le faisait en se douchant en fin de journée. En un mot, il avait plutôt intérêt à ne pas se montrer.

Il tourna sa casquette, rabattit sa visière sur les yeux. Puis courbant le dos, il se pencha vers le boulon, s'efforçant d'ignorer la très séduisante et très sexy Laurel Malone.

Laurel jeta un regard circulaire au magasin, très déçue. Il y avait bien des hommes, mais la plupart étaient accompagnés de leur petite amie. Trois seulement avaient l'air célibataires, mais le premier portait un costume cravate et aurait pu être son père. Quant aux deux autres, ils devaient avoir à peine dix-huit ans.

Son regard s'arrêta soudain sur une adorable petite moto garée dans un coin de la concession. Elle était rouge et noir et brillait de tous ses chromes. Laurel n'aurait su dire pourquoi, mais elle lui plut immédiatement et elle s'avança vers elle. Ses doigts glissèrent sur le réservoir, effleurèrent le métal du moteur, et elle s'imagina aussitôt la chevauchant, lancée sur l'autoroute, le vent fouettant son visage, New York disparaissant peu à peu dans son dos.

Une petite voix résonna soudain en elle. *Ce n'est pas raisonnable, Laurel. Et beaucoup trop dangereux.* La vision s'évanouit aussitôt. C'était sa mère qui parlait, d'une voix sentencieuse et sévère, et l'injonction lui parut brusquement indépassable. Si elle achetait cette moto, elle ne cesserait d'entendre cette voix, et il lui faudrait de plus affronter la désapprobation de son père. Elle pourrait discuter, certes, mais il lui mènerait la vie tellement impossible qu'elle n'aurait plus aucun plaisir à conduire ce petit bijou, de toute façon. Laurel était assez intelligente pour savoir quelles étaient les batailles qu'elle pouvait mener face à son père, et celle de la moto lui paraissait quasiment perdue d'avance.

Laurel tourna la tête. Le vendeur se tenait à côté d'elle.

— Elle est jolie, n'est-ce pas ?

— Superbe.

— Je me présente, dit-il, lui tendant la main. Je m'appelle Tyler.

— Ah, le propriétaire du magasin. Sherry m'a dit que vous étiez le frère de son patron.

Il n'était pas mal, ce Tyler, songea Laurel. Le genre à vivre un peu en marge, justement. Intéressant.

— Je suis son frère, en effet.

Il posa la main sur la selle de la moto.

— Elle vous conviendrait parfaitement. C'est un tout nouveau modèle, un petit bolide, la Monster Ducati 620.

— J'aime beaucoup son nom.

— Et vous aimerez la machine. C'est la plus légère et la plus maniable des Ducati. La selle est réglable en hauteur. Pourquoi ne l'essayez-vous pas ?

Laurel sourit. Et pourquoi pas en effet ? Ce serait sans

doute sa seule occasion de monter sur une moto. Elle l'enfourcha.

— Vous avez le changement de vitesse ici, dit-il, désignant la pédale du bout de sa santiag noire. Il est spécialement étudié et très souple. Ce modèle possède également un petit carénage assorti, des rétroviseurs conçus pour une visibilité maximale et une position de conduite relevée, très confortable.

— Tout cela est parfait, mais…

— J'émettrais une réserve, toutefois, c'est une machine puissante. Mais, vous verrez, elle se conduit tout en douceur et s'avère une très bonne moto pour la ville. Elle est souple, très maniable, le choix idéal pour un gabarit fin comme le vôtre. Vous prendrez beaucoup de plaisir avec elle. Elle est également d'un entretien très facile. Je peux vous la préparer pour demain, si vous voulez.

— Vous me laissez le temps de réfléchir ? demanda-t-elle avec un petit rire, époustouflée par le bagout du vendeur.

Mais son rire s'étouffa dans sa gorge. Elle venait d'apercevoir le mécanicien qui réparait une vieille Harley, dans l'atelier, à l'arrière. Il s'employait de toutes ses forces à desserrer quelque chose. Elle remarqua les muscles tendus de son dos, les biceps gonflés et le jean qui moulait de façon très sexy ses hanches et ses fesses. Sa casquette de base-ball dissimulait ses cheveux bruns, laissant seulement libres quelques mèches épaisses qui bouclaient sur sa nuque. Le vieux T-shirt qu'il portait, coupé aux manches, soulignait sa carrure, ses épaules larges, musclées.

Il était le prototype même du rebelle, séduisant et sexy, et Laurel se sentit chavirer, assaillie d'une vive émotion.

Soudain, elle le vit brandir la clé et la jeter violemment sur l'établi, l'exaspération manifeste dans son corps tendu. Les muscles de ses bras, de son torse, s'étaient contractés dans le mouvement et Laurel, troublée, sentit son pouls s'accélérer.

Il se pencha pour attraper une bouteille et en se relevant, son regard désarmant croisa le sien, y plongea, aussi direct, effronté et provocateur que l'homme lui-même.

Mais il rompit aussitôt ce contact et se détourna. Insolent, désinvolte, sans le moindre complexe ! C'était exactement ce qu'elle recherchait, sans parler de son physique honteusement sexy…

— En revanche, reprit le vendeur en suivant son regard, je ne peux rien vous garantir à propos de mon mécanicien !

Laurel sentit ses joues s'empourprer.

— Comment ça ?

— Eh bien, à la manière dont vous le regardez, j'ai presque envie de dire qu'il vous plaît encore plus que la moto. Mais je dois vous prévenir, ce n'est pas exactement le genre de garçon que vous voudriez présenter à votre famille…

Elle sentit l'excitation la gagner. Elle n'aurait pu rêver mieux !

— Ah oui, et pourquoi ? Trop rebelle pour moi ?

— Absolument. Mac est un indomptable, beaucoup trop séduisant. Depuis toujours, il attire les filles comme un aimant. Il est très intelligent, mais c'est une forte tête. Il y a longtemps que je l'aurais renvoyé s'il n'était aussi bon mécanicien, et surtout s'il n'était pas mon frère !

— Encore un frère ?

— J'en ai trois… euh… en comptant mon demi-frère Théodore.

— M. Tolliver, le patron de Sherry ? demanda-t-elle.

Tyler acquiesça d'un signe de tête et son attention fut aussitôt captée par l'arrivée de Sherry. Laurel était incapable de bouger. Son rebelle venait d'ouvrir la bouteille et faisait couler un peu de graisse dans sa main. Puis il en enduisit la pièce qu'il s'efforçait de desserrer.

Lorsque ce fut fait, il s'essuya les mains et se saisit de nouveau de la clé. Les muscles bandés, il s'attaqua au boulon. Ce dernier résista encore un instant avant de céder brusquement. Emporté par son élan, Mac se trouva déséquilibré et son poing ripa contre le moteur. Il poussa un juron et, laissant tomber la clé, il ramena sa main à lui.

Sans réfléchir, Laurel s'avança et franchissant la porte, elle pénétra dans l'atelier.

— Ça va ?

L'homme leva les yeux et la fixa. Avec une telle intensité qu'elle finit par bouger, gênée.

— Faites voir, dit-elle, s'avançant pour prendre sa main. Vous saignez. Vous avez une trousse de secours ?

Il inclina la tête et une mèche de cheveux tomba sur son front, accentuant son côté sauvage.

— Ça va, répondit-il d'une voix grave et un peu rauque, on ne va pas en faire toute une histoire…

Sans cesser de la fixer comme si elle était une extraterrestre soudainement débarquée devant lui, il tenta de dégager sa main.

— Nous n'allons tout de même pas nous disputer, Mac ?

Le sourire énigmatique qu'il lui décocha lui coupa le souffle et Laurel sentit son cœur s'emballer.

— Je ne pense pas.

Ses cheveux ébouriffés, le regard envoûtant de ses magnifiques yeux bleus, son corps musclé, tout chez lui n'était que charme et virilité. Elle en était bouleversée. Jamais encore, un homme ne l'avait attirée à ce point.

Agissant avec une audace qu'elle ne se connaissait pas, elle demanda :

— Où sont les toilettes ?

— Par là, dit-il, désignant une porte du menton. Mais les clients ne sont pas autorisés à venir ici. Vous feriez mieux de regagner le magasin.

Laurel ne prêta pas la moindre attention à ses propos. Elle le saisit par le poignet et, décrochant au passage le kit de secours suspendu au mur, elle se dirigea vers les toilettes.

Elle y pénétra, l'entraînant à sa suite, et lâcha alors sa main. L'espace n'était pas très grand, mais avec la présence de cet homme si troublant, tellement sexy, il semblait soudain plus petit encore.

Il n'allait pas pouvoir se débarrasser d'elle si facilement, songea-t-elle avec un frisson d'excitation.

2.

Vous le trouvez particulièrement sexy lorsqu'il porte :
a. un costume et une cravate
b. un uniforme
c. du cuir
d. un jean
Extrait du test de *Belle et Sexy* :
Quel type d'homme vous fait craquer ?

— Si vous vous asseyiez ? dit Laurel, indiquant le couvercle fermé des toilettes.

Mac s'assit et jeta un coup d'œil à sa main.

— Ce n'est rien, dit-il. Je peux me débrouiller seul.

— Comment pouvez-vous en être certain avec toute cette graisse ?

Il lui décocha un sourire qui la fit craquer.

— L'habitude.

— Vous n'en êtes pas à votre première égratignure, c'est ça ? rétorqua Laurel en souriant. En attendant, vous feriez mieux de nettoyer votre main que je puisse me rendre compte de la profondeur de la coupure.

Elle voulut s'écarter pour lui faciliter l'accès au lavabo, mais l'espace était si étroit qu'elle se retrouva encore plus près de lui.

— Ce sont les risques du métier, murmura-t-il d'une voix rauque.

— Je présume, oui…

— Sauf que d'habitude, je ne dispose pas d'une superbe infirmière pour prendre soin de moi.

Il se tourna vers le lavabo pour se laver les mains. Laurel avait le cœur qui battait comme un fou. Superbe. Il la trouvait superbe. Ce n'était pas un mot qu'on associait habituellement avec son petit gabarit, mais brusquement, au travers de ses paroles, elle se sentit aussi grande qu'un top model.

— Et moi, je ne passe pas mon temps à soigner les gens, d'habitude, rétorqua-t-elle, arrachant une poignée de serviettes en papier au distributeur.

— Cela vous irait pourtant très bien. Vous avez l'air de bien aimer donner des ordres…

Laurel eut un petit haussement d'épaules. Elle ne s'était jamais considérée comme une personne autoritaire. Elle mouilla légèrement les serviettes sous le robinet.

A chaque tentative qu'elle fit pour tamponner la plaie, il parvint à se dérober. Exaspérée, elle finit par saisir sa main et l'immobiliser.

Concentrée sur sa tâche, elle s'efforçait de ne pas penser à son visage tout proche, tentation irrésistible, à ses traits à la fois virils et réguliers, pommettes hautes, mâchoire volontaire ombrée de barbe, et ce regard bleu si profond, si troublant.

— Comment avez-vous su que je m'appelais Mac ? demanda-t-il d'une voix douce.

— C'est votre frère qui me l'a dit, répondit Laurel, le souffle court. Il a tenté de me vendre la jolie petite Ducati qui se trouve exposée dans le magasin.

— Vous l'avez achetée ?

— Non.

— Et c'est moi qu'il a tenté de vous vendre, à la place ?

— Pas exactement... Disons que je vous avais déjà remarqué, et que j'avais très envie de faire votre connaissance.

Laurel sentit ses mains se mettre à trembler.

Il parut surpris et fronça légèrement les sourcils, la fixant avec intérêt. Lorsque son regard bleu glissa vers son cou, elle eut l'impression d'une brûlure sur sa peau. Du bout des doigts, il effleura sa gorge.

— Pourquoi ?

Ils étaient là, immobiles, si proches l'un de l'autre, souffles à l'unisson, et cette promiscuité la bouleversait. Lorsqu'elle détourna les yeux de lui, elle croisa son reflet dans le miroir. Joues en feu, lèvres entrouvertes, elle semblait attendre son baiser. Le désir se lisait, manifeste, sur ses traits.

Elle détourna le regard, regrettant de ne pouvoir asperger son visage d'eau froide. Ignorant sa question, elle tenta de s'absorber dans sa tâche et nettoyer la plaie. Lorsque tout le sang fut éliminé, elle saisit un pansement. Mais elle était trop fébrile et il le lui prit doucement des mains. Elle s'écarta, le bord du lavabo pressant soudain le creux de ses reins.

— Terminé, dit-elle, d'une voix qu'elle aurait voulue plus assurée.

Elle entendit soudain Sherry l'appeler. Elle allait s'impatienter si elle ne lui répondait pas, au point sans doute de venir jusqu'ici et de la surprendre en si charmante compagnie... Il se leva alors brusquement et sa hanche heurta sa jambe. Il emprisonna son visage entre ses mains, caressa sa joue, le regard plongé dans le sien.

— Je vous ai posé une question, dit-il, la voix rauque.

— Vous êtes exactement le genre d'homme avec lequel j'ai envie de sortir.

— C'est-à-dire ?

— Dangereux.

— Dangereux ? répéta-t-il.

Laurel se contenta d'acquiescer d'un signe de tête.

— Et le danger vous fait battre le cœur plus vite ?

— Comment savez-vous que mon cœur bat vite ?

Il se pencha et posa ses lèvres à la base de son cou, dans ce petit creux si doux où palpitait son pouls.

Du dos de la main, il effleura sa joue, son cou. Un pouce glissé sous son menton, il leva son visage vers lui. Ses lèvres caressèrent les siennes. Un frisson parcourut Laurel. Il était là, prêt à l'embrasser, et cette attente, ce désir qui les poussaient l'un vers l'autre la grisaient.

Elle s'avança imperceptiblement et sentit sa cuisse musclée presser la sienne. Son corps tout entier s'enflamma à ce contact. Seigneur, où s'aventurait-elle ? Mais le moment n'était plus aux questions. Il n'était plus temps de se demander si elle pouvait ou non faire confiance à cet homme. Le moment était venu de se libérer, d'agir enfin selon ses pulsions.

Il la fixait et elle surprit une lueur de doute dans son regard. Il hésitait à l'embrasser. Ce fut elle, alors, qui prit l'initiative et vint poser ses lèvres sur les siennes. Elle voulait ce baiser. Elle le voulait avec toute la force de son être. Si elle ne l'embrassait pas, elle allait se trouver mal. Alors, enivrée par son odeur, par la chaleur qui irradiait de son corps, grisée par le désir, elle plongea dans l'inconnu.

Sa bouche était si douce, si enivrante. Il lui semblait qu'elle ne s'en rassasierait jamais. En un instant, ce fut comme si elle n'avait jamais embrassé personne auparavant. Une telle passion émanait de cet homme qu'elle se sentit emportée, comme soulevée par une lame de fond balayant tout sur son passage.

Il réagit aussitôt, intensifiant leur baiser. Ses lèvres

pressaient les siennes avec une telle fougue qu'elle en eut le souffle coupé. Et tandis que sa langue se mêlait avec passion à la sienne, il écarta les jambes. L'instant d'après, il refermait les mains sur ses fesses, la plaquait plus fort contre lui.

A travers le jean, elle sentit la pression de son sexe palpitant contre le sien et elle ne put retenir un gémissement.

Mac s'écarta soudain d'elle, tendant l'oreille, et il étouffa un juron. Laurel ne savait plus où elle en était, le corps parcouru de sensations bouleversantes.

— Laurel, dit-il d'une voix rauque, le souffle court, votre amie vous appelle. Elle est là, juste derrière la porte.

— Qui ?

Mon Dieu, sa bouche était là, si proche, si tentante. Pourquoi avait-il cessé de l'embrasser ?

Il rit.

— Votre amie.

Il se tourna de nouveau vers elle et il lui sembla que la température montait soudain de manière vertigineuse.

— Mon amie ? répéta-t-elle, se noyant dans le bleu profond de ses yeux.

— Oui. La jeune femme avec laquelle vous êtes venue. Elle doit avoir fini ses achats, expliqua-t-il, patient.

— Très bien. Mon amie. Elle m'appelle..., répéta Laurel, s'efforçant de reprendre ses esprits.

— Laurel...

Il la fixait et elle se sentit littéralement fondre.

— Il faut que vous me lâchiez, à présent, dit-il, amusé.

Elle se rendit soudain compte qu'elle avait encore les bras noués autour de son cou.

— Oh, désolée, s'excusa-t-elle, se détachant de lui, reprenant soudain conscience de la réalité.

Au-dehors, elle entendit des pas s'éloigner.

Il s'écarta d'elle et elle se sentit soudain abandonnée, perdue. Elle ne songeait qu'à ce baiser brûlant, bouleversant, et elle porta la main vers sa bouche, effleurant du bout des doigts ses lèvres gonflées.

— Allez-y, dit-il. J'attendrai que vous soyez partie pour sortir. Elle ne saura pas que nous étions ici ensemble.

Laurel savait qu'elle devait sortir, mais elle se sentait comme enracinée sur place. Elle plongea la main dans son sac, en sortit une carte professionnelle sur laquelle elle griffonna à la hâte son numéro personnel.

— Appelez-moi, dit-elle.

Puis elle empoigna son sac et sortit.

Mac fixait la petite carte dans sa main. Il ne parvenait pas à croire que Laurel venait d'y inscrire son numéro de téléphone et que quelques instants plus tôt, elle l'embrassait avec passion comme s'il était l'homme le plus sexy et le plus désirable du monde.

— Eh bien, on dirait que tu t'es fait une amie, s'exclama Tyler, adossé au chambranle de la porte, un sourire satisfait aux lèvres.

— Qu'est-ce que tu as encore manigancé ?

— Disons que j'ai un peu changé la donne.

— Ne me dis pas que tu m'as dépeint sous les traits d'un motard rebelle ?

— Si. Exactement.

Mac n'en croyait pas ses oreilles.

— Mais c'est un pur mensonge !

— Excuse-moi, petit frère, mais ce n'est pas moi qui suis transi d'amour pour elle. Elle pense que tu es quelqu'un d'autre, et alors ? Joue le jeu. Le temps qu'elle découvre qui tu es réellement, elle sera raide dingue de toi.

— Jouer le jeu ? Comment veux-tu que je fasse ? Je ne vois vraiment pas comment passer pour un motard rebelle !

— C'est facile. Suis-moi, dit Tyler.

Mac le suivit dans le magasin. Il se dirigea tout droit vers le rayon vêtements.

— Pour commencer, le pantalon de cuir.

— Pour quoi faire ?

— Pour protéger tes jambes en moto, Einstein. Par-dessus un jean moulant, ça souligne avantageusement les formes. Tu me suis ?

Mac ne put s'empêcher de rire.

— Ne ris pas. Les femmes nous détaillent autant que nous les détaillons. Si tu avais vu de quelle façon elle regardait tes fesses, tout à l'heure, tu n'en serais pas revenu.

— Non !

— Eh si ! Second accessoire : le T-shirt moulant, poursuivit Tyler. Dans une matière plutôt soyeuse, c'est bien. Rien de tel pour mettre en valeur les pectoraux et les biceps. Les femmes adorent.

Tyler tendit à Mac un T-shirt noir, dans une matière extensible, légèrement brillante.

— Le « must », c'est le blouson de moto. En cuir, avec quelques boucles, ça plaît beaucoup.

Il décrocha un blouson, le lança à Mac. Puis il se dirigea vers le rayon des bottes.

— Tu vas avoir besoin de boots noires, de santiags noires et d'une paire de bottes de moto, avec des tas de boucles. Ça fait viril et les femmes aiment les hommes virils, pour ne pas dire... les gros durs.

Tyler eut un large sourire.

— Si tu vois à quoi je fais allusion.

Mac leva les yeux au ciel.

— Achète-toi un ou deux jeans noirs et des T-shirts. Je te conseille le blanc.

— Si je comprends bien, intervint Mac, tu me suggères de me servir du test qu'elle a fait pour la séduire ?

Tyler le crocheta au cou, un genou planté dans les reins.

— Espèce d'hypocrite ! Tu voudrais me faire croire que tu n'y as pas pensé ? Pourquoi as-tu gardé le test, dans ce cas ?

Mac parvint à se dégager et il se tourna vers Tyler. Son frère avait raison, mais il n'était pas dans ses habitudes de tricher et sa conscience le taraudait.

— Je ne suis pas sûr que ce soit le meilleur moyen de commencer une relation…

— Tu peux me dire qui ça dérange ? Tu n'es plus censé raisonner comme Théodore MacAllister Tolliver. Tu es Mac Hayes, désormais. Un séducteur rebelle qui n'en fait qu'à sa tête. Un vrai dur.

— Exactement.

Laurel avait peut-être été à l'initiative du baiser, mais c'était lui qui lui avait montré ce qu'était un baiser fougueux, non ?

— Je te conseille également quelques tatouages, poursuivit Tyler.

— Des tatouages ? Ces trucs où on passe un temps fou à te piquer avec une aiguille. Non merci, très peu pour moi.

— Les nanas flashent un maximum là-dessus.

— Je me moque des nanas. C'est Laurel qui m'intéresse.

— Ecoute, Mac, je cherche uniquement à t'aider. Je ne t'ai jamais vu entiché à ce point. Tu as vu le résultat du test ? Alors, il n'y a pas trente-six solutions. Une seule question importe : es-tu prêt à lui dire qui tu es réellement et à courir le risque de perdre toute chance avec elle ?

La question demeura un instant en suspens. Mac songea au baiser qu'il avait échangé avec Laurel, à cette passion si soudaine entre eux, irrépressible. Il repensa à la douceur de ses lèvres, à son corps pressé intimement contre le sien. Le paradis… Il lui semblait sentir encore le contact de sa peau satinée sous ses doigts, la pression envoûtante de ses seins fermes et ronds contre son torse.

Mais plus encore, il se souvenait de son regard avant qu'elle l'embrasse, qu'elle se noie dans leur baiser. Il y avait tant de passion dans ses yeux, tant de désir et de promesses. Et il ne pouvait ignorer la façon dont son corps tout entier la réclamait. Il y avait en elle quelque chose de différent, d'exceptionnel. Et il avait envie d'elle.

— Non, finit-il par admettre. Je n'ai aucune envie de courir le risque de la perdre.

— Très bien. Passons à la moto, à présent. La Monster Ducati 620 l'intéresse beaucoup.

— Pas mal. Laquelle ?

— La rouge, évidemment !

— Euh, n'exagérons rien… Disons la noir et argent.

— C'est parti pour la Ducati, alors. Tu as de la chance. Je viens juste d'en recevoir une pour un client qui a annulé sa commande. Elle est à toi.

— Tu crois vraiment que les tatouages sont indispensables ? demanda Mac, revenant à la charge.

— Ecoute, je connais une boutique où on en fait au henné. Ça dure environ trois semaines, c'est bien, non ? Vu qu'à mon avis, tu n'auras ni la patience ni l'envie de poursuivre le mensonge au-delà…

— C'est sans aiguille ?

— Sans aiguille.

Mac suivit son frère au fond du magasin et le regarda ôter la housse de la moto. L'idée de mentir lui déplaisait toujours autant, mais moins que celle de compromettre ses chances avec Laurel. A lui seul, ce baiser prouvait qu'il se passait quelque chose entre eux. Et puis, cette petite comédie du motard rebelle ne durerait qu'un temps très court. C'était tout à fait dans ses cordes.

— Ce petit bijou va la mettre dans tous ses états, dit Tyler. Avec un joli casque en prime, elle sera incapable de te résister, petit frère.

— Espérons.

— Ah, encore une chose. Je lui ai dit que tu étais une forte tête, un peu bagarreur à l'occasion, et que les filles te tombaient dans les bras comme des mouches.

Mac fixait son frère, interloqué.

— Qu'est-ce qu'il y a ? demanda Tyler, l'air innocent.

Mac ôta sa casquette et se passa une main dans les cheveux.

— De mieux en mieux !

De retour dans son loft, Mac se mit à avoir de sérieux doutes quant à la décision qu'il avait prise. Tyler ne songeait qu'à l'aider, c'était évident. Mais de son côté, il répugnait à endosser un personnage qui n'était pas le sien.

L'homme qu'il était lui convenait tout à fait. Il aimait sa façon de se comporter, les relations qu'il entretenait avec les autres. Il ne pouvait s'imaginer jouant les gros bras. C'était contre sa nature.

Et puis, y parviendrait-il, seulement ? Saurait-il faire semblant ? Rien n'était moins sûr… Et si sa vraie personnalité transparaissait sous le personnage et venait le démasquer ?

Mais ce qui pesait surtout sur sa conscience, c'était de tromper Laurel. Certes, elle aurait face à elle l'homme dont elle rêvait, il ferait tout pour cela. Mais rêvait-elle vraiment de ce type d'homme, défini à la hâte par quelques questions dans un test ? La réalité s'avérait parfois très différente des fantasmes, et bien que ne se vivant pas exactement comme un prince charmant, Mac n'en était pas crapaud pour autant.

Après s'être douché et avoir avalé un morceau, il s'installa à son ordinateur et se connecta sur Internet. Il entra le mot « rebelle ». Quelques instants plus tard, plusieurs noms de sites apparurent.

Hommeahomme.com était l'un d'eux et Mac cliqua dessus. Le premier document qui s'afficha était un article extrait de la revue masculine *H*. Le titre était plutôt prometteur : *Comment se servir des atouts du rebelle pour séduire les femmes.*

Il commença la lecture.

« La plupart des hommes ignorent ce que signifie exactement être un rebelle. Ils pensent que cela implique obligatoirement de traiter les femmes avec supériorité, voire mépris. C'est une erreur. Le rebelle est un homme qui ne se plie pas aux volontés de la femme et qui ne répond pas automatiquement à ses attentes. C'est d'ailleurs ce qui le rend intéressant. Il intrigue la femme, suscite son intérêt. La grande différence entre un individu lambda et un rebelle ? Le rebelle fait passer ses besoins avant ceux de la femme. »

Voilà. C'était très exactement ce que pensait Mac. Le rebelle était un égoïste. Cela dit, l'article pouvait néanmoins lui être utile. Il fallait bien reconnaître qu'il ne savait pas par où commencer et qu'il était bien trop impliqué à présent pour faire machine arrière.

Il imprima l'article, se servit un jus de fruits et s'installa dans son canapé, décidé à s'instruire.

3.

En matière de sexe, quelles sont les initiatives qui vous rendent folle ?
a. audacieuses
b. romantiques
c. sensuelles
d. sauvages
Extrait du test de *Belle et Sexy* :
Quel type d'homme vous fait craquer ?

Laurel rentra directement chez elle après avoir quitté Sherry devant le magasin de motos. Il lui restait suffisamment de temps pour aller se consacrer à sa passion secrète.

Elle se changea très vite, enfila un pantalon de toile, une chemise et noua un sweat-shirt autour de ses épaules. Puis elle se prépara un sandwich qu'elle mangerait en route et, sautant dans sa voiture, elle quitta New York.

Elle se sentait dans une forme éblouissante, et pas seulement parce qu'elle allait s'adonner à son plaisir secret. Non. C'était Mac qui la mettait dans cet état. Mac et son regard bleu si troublant, Mac et la caresse enivrante de ses lèvres sur les siennes, Mac et la pression de son corps chaud et musclé qu'elle brûlait d'envie d'explorer. Son cœur s'emballa soudain. Elle se sentait pareille à une adolescente amoureuse, tout excitée, intensément vivante. Et tellement impatiente de le revoir. Pourvu qu'il ne la fasse pas trop attendre !

De toute évidence, il avait de l'expérience et Laurel, plutôt sage en matière de sexe, ne manquait pas d'imagination. Comme ce serait merveilleux d'abandonner toute réserve et de s'offrir une aventure torride avec un beau motard tout de cuir vêtu. Hum… rien que de l'imaginer, moulé dans le cuir noir, avec ses bottes de moto et son blouson, elle avait le corps parcouru de frissons.

Quarante minutes plus tard, elle entrait dans Cranberry, une petite ville au charme désuet avec ses jolies boutiques, ses petits restaurants et son parc dans lequel on jouait aux échecs à la belle saison. Elle traversa le centre, heureuse de voir les gens la reconnaître et la saluer.

C'était sa vie secrète.

Personne n'était au courant, ni sa famille ni ses amis, pas même Haley ou Margo. Elle lui appartenait, à elle et à elle seule.

Laurel se gara devant une maison blanche, petite et un peu délabrée, mais pour les réparations, elle verrait plus tard. Ce fut vers le garage, dont la rénovation venait juste de se terminer, qu'elle se dirigea dès qu'elle descendit de voiture. Elle glissa la clé dans la serrure et ouvrit toute grande la porte à double battant, laissant entrer le soleil printanier. La bonne odeur du bois emplit ses narines à peine le seuil franchi.

A chacun sa passion. Pour certains, c'était la nage, le moment où le corps pénètre dans l'eau, où les muscles se contractent puis se relâchent, cette extraordinaire sensation de silence et de solitude. Pour d'autres, c'étaient les machines, le bruit des moteurs et la piste, la décharge d'adrénaline à l'instant du départ et les acclamations de la foule.

Pour Laurel, c'était le bois. Son odeur, sa texture sous ses doigts, la satisfaction de le travailler, de voir l'œuvre achevée, le moment où les pièces brutes deviennent création.

Son atelier était équipé des outils les plus perfectionnés, indispensables à la création. Bien des artisans, même les plus cotés, le lui auraient envié. Elle avait construit un établi en forme de L, pourvu de casiers et de tiroirs, et installé une planche au mur pour accrocher les outils qui lui étaient nécessaires. Des outils rassemblés avec amour : marteaux, scies, tournevis, vrilles, pinces, sans compter le matériel de ponçage et les équipements pour se protéger.

Laurel sourit en apercevant la sciure qui jonchait le sol. Elle aurait dû la balayer la dernière fois, mais elle n'en avait pas eu le temps. Elle devait dîner avec sa famille, à New York, et elle ne voulait pas être en retard et devoir expliquer pourquoi. Laurel détestait les mensonges.

Les secrets, en revanche, étaient une autre affaire. Ils devaient être protégés à tout prix. Les problèmes ne feraient que commencer si son père découvrait qu'elle avait acheté cette maison à Cranberry et y avait investi une part importante de l'héritage que sa mère lui avait laissé. Personnellement, elle était très satisfaite de ce qu'elle en avait fait. Sa mère tenait à ce qu'elle le consacre à quelque chose de bien. Elle avait beaucoup insisté sur ce point avant de mourir : « A quoi bon le placer pour le voir rapporter encore et encore ? Au bout du chemin, tu ne pourras pas l'emmener avec toi. » Ces paroles lui étaient allées droit au cœur.

Son père jugerait sans intérêt sa passion pour l'ébénisterie, Laurel en était certaine. Elle fit le tour de l'atelier, s'assura que tout était en ordre. Puis elle jeta un coup d'œil au cadre qu'elle préparait pour une chaise en métal et bois dont le dossier serait en forme de bouche. Une création toute nouvelle qu'elle imaginait très bien dans sa chambre.

Elle ôta le sweat-shirt de ses épaules. Le soleil entrait à

flots par les quatre lucarnes installées sur le toit. Prête à se mettre au travail, elle entendit soudain un bruit métallique suivi d'un juron tonitruant.

Elle sortit. M. Hayes ramassait le couvercle de sa vieille poubelle. Elle s'avança vers lui.

— Monsieur Hayes, comment allez-vous ?

Jeffrey Hayes habitait la maison voisine. Il était à la retraite et se plaisait beaucoup à Cranberry où il menait une existence paisible. Il cultivait toutes sortes de fruits qu'il mettait en bocaux et qu'il vendait au marché fermier local. Ses pêches au sirop étaient à tomber à la renverse.

— Ça va très bien mademoiselle Malone. Et vous ?

— On ne peut mieux.

— Je vois ça. Dès que vous êtes en passe de terminer une création, votre regard ne trompe pas. Il brille comme jamais.

Il s'interrompit et Laurel le vit froncer un instant les sourcils.

— Hum... Je vous trouve les joues bien roses, aujourd'hui. Qu'est-ce qui peut bien vous donner cette mine ?

Laurel sourit. Il n'y avait pas loin à chercher, c'était Mac. Etrange, tout de même. Mac Hayes et ici, Jeffrey Hayes. Le même nom...

— J'ai rencontré quelqu'un.

— Ah, je me disais, aussi !

— Un garçon extrêmement séduisant, dit Laurel, se penchant pour ramasser le couvercle de la poubelle.

— Encore un de ces jeunes gens pressés des villes.

— Il conduit une moto et s'habille tout en cuir.

— Et voilà ! Le danger, toujours le danger ! N'oubliez pas de mettre un casque.

— Je n'oublierai pas, promit Laurel en le suivant dans l'allée.

M. Hayes grimpa l'escalier de bois branlant qui conduisait chez lui.

— En parlant de danger, reprit Laurel, cet escalier aurait bien besoin d'être réparé. Je vais m'en occuper.

— Vous avez suffisamment à faire à fabriquer vos meubles. Ne vous inquiétez pas pour moi, je ferai venir un menuisier.

— C'est hors de question, s'insurgea Laurel. Je le ferai. Et j'espère bien qu'en retour, vous m'inviterez à une de vos soirées lasagnes. Rien que d'y penser, j'en ai l'eau à la bouche.

— Hum hum, jeune fille, j'ai la nette impression que c'est moi qui y gagne dans cette affaire… Alors faisons un marché : vous terminez votre chaise et ensuite, seulement, vous vous occuperez de l'escalier.

Laurel fit semblant de réfléchir, comme s'il s'agissait d'une grave décision à prendre. Devant l'air surpris de M. Hayes, elle sourit, puis se mit à rire franchement et lui tendit la main.

— Marché conclu.

Elle s'éclipsa alors dans son garage. Elle avait beaucoup à faire. Finir la chaise, passer au centre acheter du bois et… il y avait Mac. Son séduisant motard aux yeux bleus, si troublant et si sexy. Rien que de songer à leur prochaine rencontre, elle se sentait tout excitée.

Génial, songeait encore Mac lorsqu'il entra dans la boutique de tatouage que lui avait indiquée Tyler. Il était d'abord passé chez lui et s'était douché et rasé. Pas de trop près, tout de même, il fallait rester en accord avec son nouveau personnage. Quant à ses cheveux, contrairement à son habitude, il n'avait pas cherché à les discipliner. Il les avait ébouriffés et ils bouclaient en une tignasse brune épaisse.

Dans la boutique flottait une odeur entêtante d'eucalyptus, de henné et autres senteurs exotiques qu'il était incapable d'identifier. Il se dirigea vers la jeune femme au comptoir.

Il portait le pantalon de cuir conseillé par Tyler, des bottes de moto, un T-shirt blanc et un blouson. A sa grande surprise, lorsqu'il avait acheté ce T-shirt blanc moulant, la vendeuse de la boutique avait glissé son numéro de téléphone dans le sac en lui décochant un regard de braise.

Interloqué, il avait regagné sa moto, délogeant deux superbes nanas qui étaient en train de l'admirer. Elles s'étaient aussitôt tournées vers lui et l'avaient dévoré du regard. Et voilà maintenant que la vendeuse de la boutique s'y mettait à son tour, le mangeant littéralement des yeux. Bon sang, à se demander si c'était bien lui qu'elles voyaient !

Mais de quoi se plaignait-il, après tout ? C'était très exactement la réaction qu'il attendait de Laurel lorsqu'elle le verrait.

— Que puis-je faire pour vous ? demanda la jeune femme d'une voix suave, avant même qu'il ait eu le temps de dire un mot.

— C'est mon frère qui m'a donné votre adresse. Tyler Hayes.

— Ah oui, il m'a dit que vous désiriez des tatouages. Vous savez quel genre de tatouages vous voulez ?

— Non, euh... pas vraiment.

— Suivez-moi. Je suis certaine que vous allez trouver votre bonheur.

Mac la suivit et passa en revue les différents modèles affichés. Que choisirait un rebelle, séducteur et tête brûlée ?

— J'aime assez cette panthère prête à bondir...

— Où la voulez-vous ? demanda la jeune femme, fixant avec insistance ses fesses.

Mac se sentit rougir. Son personnage n'aurait pas rougi, il en était certain, et il se détourna au plus vite.

— Euh… là, derrière, sur l'épaule gauche.

— Très bien.

La déception était perceptible dans la voix de la jeune femme. Ses fesses la tentaient visiblement davantage. Etaient-elles donc si sexy ?

Il se sentit ridicule, tout à coup.

— Et ensuite ? poursuivit-elle.

— Je verrais bien ce fil de fer barbelé autour de mon biceps gauche.

Il lui fallut supporter deux heures d'immobilité au cours desquelles la spécialiste du tatouage mit tout en œuvre pour le séduire. Mais une seule femme l'intéressait : Laurel. Il passait par toutes ces épreuves stupides pour elle, et pour elle seule.

Lorsque ce fut terminé, restait à décider de la marche à suivre. Pourquoi ne pas l'appeler et lui dire qu'il voulait sortir avec elle ?

Non. C'était nul.

Il fallait quelque chose de nettement plus percutant. Il devait la surprendre. Oui, en allant chez elle. Sauf qu'il ignorait où elle habitait. Nom de nom, qu'avait-il à la place du cerveau, aujourd'hui ? Le charme de Laurel avait dû lui anéantir les neurones ! Il lui suffisait de chercher dans son notebook. Cette formalité accomplie, il enfourcha la Ducati rutilante et démarra dans un rugissement de moteur.

Parvenu devant chez elle, il gara la moto et coupa le contact. Puis il expira lentement. Il se sentait incroyablement nerveux. Lui, d'habitude si calme, si posé et maître de lui. Lorsqu'il avait passé son entretien à la Malone Financial

Services, il avait négocié son salaire avec l'aplomb d'un homme que rien ne pouvait ébranler.

Il s'apprêtait à frapper à la porte lorsqu'une voiture se gara à sa hauteur.

Laurel en descendit et il crut que son cœur allait s'arrêter de battre. Elle était si belle dans la lumière du soir, ses beaux cheveux bruns, si brillants, relevés en une jolie queue-de-cheval. Elle ne l'avait pas encore vu et elle fit le tour de sa voiture pour ouvrir le coffre.

Trop occupée à en extraire quelque chose, elle ne le vit pas approcher.

— Laurel ?

Elle sursauta et sa tête heurta le haut de la voiture. Quel crétin ! songea-t-il tandis qu'elle le fixait d'un regard écarquillé, tout brillant d'excitation. Mais il n'était plus temps d'hésiter. Et encore moins de reculer.

— Salut, poupée ! lança-t-il tout en glissant un bras autour de sa taille et en la plaquant fermement contre lui.

Avant qu'elle ait eu le temps de dire un mot de bienvenue ou de protester, ses lèvres pressaient les siennes. Elle se cramponna à son bras pour ne pas perdre l'équilibre et laissa échapper un petit gémissement plaintif.

Galvanisé, il prit sa bouche, laissant une main descendre jusqu'au creux de ses reins, s'arrondir sur ses fesses. Il n'avait pas prévu de l'embrasser si vite. C'était venu comme cela, une impulsion soudaine. Mais c'était parfait. Exactement ce qu'il fallait faire.

Son parfum l'assaillit soudain. Une odeur fraîche et douce, légèrement épicée, féminine et troublante. Aucun article n'aurait pu le préparer à une émotion pareille. Et ce parfum se mêlait aux sensations incroyables qui l'envahissaient, au goût de ses lèvres s'abandonnant aux siennes, à la douceur de sa peau, au contact satiné des petites mèches de cheveux sur sa nuque. Tous ses sens étaient en éveil, grisés.

Elle frissonna dans ses bras, telle une feuille sous la brise, et plus rien n'exista soudain que la pression de son corps si doux contre le sien, et que ce désir fou de l'embrasser à en perdre la raison.

Lorsque leurs bouches se désunirent, ils étaient tous deux hors d'haleine. Laurel passa sa langue sur ses lèvres, bouleversée.

— Mac… que… qu'êtes-vous en train de…

De nouveau, il se pencha vers elle et, une main pressant fermement sa nuque, son corps plaqué contre le sien, en épousant chaque courbe, il prit sa bouche en un baiser ardent, exigeant. Elle suffoqua, sa bouche prisonnière de la sienne. Lorsqu'il la lâcha, il tremblait autant qu'elle.

Elle inspirait, haletante, s'efforçant de reprendre son souffle lorsqu'il lui décocha un sourire dévastateur.

Il posa la main sur sa joue, caressa ses lèvres de son pouce.

— Je suis heureux que tu m'aies donné ton numéro.

— Moi aussi, répondit Laurel, encore sous le choc.

Jamais aucun homme ne l'avait embrassée ainsi.

— J'ai pour habitude de faire ce qui me plaît, et tu me plais, rétorqua Mac d'un ton détaché.

— Vraiment ? dit Laurel, dans un souffle.

— Absolument.

Elle avait des yeux magnifiques. Il aurait voulu s'y noyer. Mais c'en était assez. Il avait un rôle à tenir et il se détourna.

— Tu voulais sortir quelque chose de ton coffre…

Il s'interrompit en apercevant les pieds de couleur vive d'une chaise.

— Un dossier en forme de bouche ! s'exclama-t-il en la sortant du coffre.

Laurel posa la main sur son bras. Il sentit sa chaleur à travers le cuir du blouson.

— Elle vous plaît ?

— Elle est très originale. Où l'as-tu dénichée ?

— Dans... dans une petite boutique, pas très loin de New York.

— Le mélange métal et bois... la couleur, c'est très différent de ce que l'on voit d'habitude.

Il y avait également une petite table basse au plateau composé d'une marqueterie de pièces de bois colorées.

— Tu me donneras l'adresse. Cette chaise irait très bien chez... chez un de mes amis.

Il s'était interrompu juste à temps. Il possédait un loft très chic, meublé avec sobriété, mais il imaginait parfaitement cette chaise dans son salon. Elle se démarquerait du reste du mobilier et formerait un contraste très intéressant. La table également.

— Tu pourrais même m'y emmener un jour, j'adore ce genre de meubles. Très... inspirés.

— Vous n'êtes pas venu pour discuter mobilier, si ? demanda Laurel en se saisissant de la table.

Mac la suivit en direction de l'entrée, portant la chaise.

— Non, je suis venu te dire que tu dînais avec moi, ce soir.

Le ton était ferme, décidé, laissant peu de place à la contradiction. Tout à fait en accord avec son personnage.

— Comme ça, sans prévenir ? dit-elle avec un petit sourire.

— J'aime la spontanéité.

Laurel ouvrit la porte, puis elle se tourna vers lui et rit.

— Tu as raison ! Au diable les convenances et les cérémonies. J'ai envie de m'amuser. Où m'emmènes-tu ?

— Je ne sais pas encore. Ce sera une surprise. Je la mets où ? dit-il, désignant la chaise.

— Pose-la contre le mur, je la monterai plus tard. Tu me laisses quelques minutes, le temps de me doucher ?

— D'accord, mais uniquement si tu acceptes de porter ce que j'ai apporté pour toi…

Laurel se tourna vers lui, le visage rayonnant.

— Fais-moi voir.

— Je reviens tout de suite.

Mac gagna sa moto et, un instant plus tard, il rapportait un paquet contenant l'article qu'il avait passé beaucoup de temps à choisir pour elle.

Laurel s'en empara et lui sourit, ravie.

— Installe-toi, je n'en ai pas pour longtemps.

Elle grimpa quatre à quatre l'escalier qui menait à l'étage. Mac jeta un coup d'œil rapide dans le miroir de l'entrée et hocha la tête, satisfait de son allure. Puis il gagna le salon.

C'était une pièce très élégante avec un plafond à moulures. Le mobilier semblait de fabrication artisanale et possédait la patine du bois travaillé avec patience et amour. Le plancher de chêne ciré était agrémenté d'un tapis dans les tons fauves et verts. Au-dessus du canapé se trouvait une magnifique toile représentant un paysage de montagne en automne, dont les coloris formaient une harmonie parfaite avec ceux de la pièce.

Cela ressemblait au Vermont. Mac avait skié plusieurs fois dans ces montagnes, à Smuggler's Notch et Killington, deux stations situées dans des paysages somptueux.

Il entendit soudain la douche couler à l'étage et il s'efforça de ne pas penser à Laurel, nue, l'eau ruisselant sur sa peau.

Fidèle à ce qu'elle avait dit, elle fut bientôt prête. Lorsqu'il l'entendit descendre l'escalier, il attendit, le cœur battant, qu'elle apparaisse.

Lorsqu'elle entra, ce fut un choc. Le pantalon de cuir noir qu'il lui avait acheté lui allait parfaitement, épousant les courbes harmonieuses de ses hanches, de ses fesses. Mais ce fut son T-shirt qui lui coupa le souffle. Fin, moulant, il soulignait magnifiquement sa silhouette. L'encolure en V, resserrée par un lacet, laissait entrevoir sa peau claire, satinée, la rondeur ferme et douce de ses seins pigeonnant au-dessus du léger soutien-gorge de dentelle.

Mac avait arpenté tout le magasin à la recherche d'une cliente qui fût à peu près de la même corpulence et il lui avait demandé sa taille. La jeune femme l'avait regardé et avait accepté d'emblée d'essayer le pantalon de cuir. Aussitôt après, il avait eu droit à une entreprise de charme, et il avait dû lui expliquer qu'il l'achetait pour sa petite amie. Très bien, avait-elle répondu sans se démonter, s'il la laissait tomber un jour, il n'avait qu'à lui passer un coup de fil.

— Ce pantalon est fait pour toi, dit-il.

Laurel avait relevé ses cheveux très haut, en queue-de-cheval. Elle était magnifique.

— Merci, j'adore le cuir. D'ailleurs, ajouta-t-elle en lançant un regard brûlant sur lui, il te rend très... sexy, toi aussi.

Mac dut faire un effort pour ne pas rougir. Tyler avait raison : elle l'avait examiné sur toutes les coutures, elle avait peut-être même fantasmé sur ses fesses...

Pas très à l'aise, il s'empressa de changer de sujet.

— C'est le Vermont qui est représenté sur ce tableau ?

— Oui. Je l'ai acheté l'année dernière, sur un coup de cœur. Tu connais le coin ?

— J'y ai déjà fait du ski.

— Tu skies ?

— Oui. Pourquoi ?

— Non, pour rien. Ça me surprend, c'est tout.

Bon sang, il n'y avait que quelques minutes qu'il se trouvait avec elle et, déjà, il dérapait. Fort heureusement, il se souvint soudain de Tyler dévalant les pentes en snow-board. Les filles adoraient, paraît-il. C'était téméraire, un sport pour les hommes, les vrais.

— Enfin, je fais du snow-board, bluffa-t-il tout en s'avançant vers elle.

— Du snow-board ? Tu dois être très doué !

Elle le précéda dans l'entrée et sortit un blouson de cuir rouge de sa penderie. Mac poussa un soupir de soulagement. Il n'était pas passé loin de la catastrophe.

Il saisit Laurel par la main et l'entraîna dehors. Parvenue devant la moto, elle s'immobilisa, émerveillée.

— C'est génial, dit-elle. Absolument génial.

Il lui tendit un casque, et enfourcha la moto. Elle grimpa aussitôt derrière lui et il mit le contact, fit vrombir le moteur, histoire de l'impressionner, avant d'enclencher la première et de démarrer.

La Monster Ducati 620 était un véritable petit bijou. Il avait conduit des machines plus puissantes, plus lourdes, et il découvrait avec bonheur combien celle-ci était maniable et souple, y compris avec un passager.

Parvenu devant le Rock Show Bar, Mac fit rapidement demi-tour et revint garer la moto à côté des autres. Une musique assourdissante retentissait jusque sur le parking.

Tandis qu'ils se dirigeaient vers l'entrée, Laurel posa la main sur son bras.

— L'ambiance a l'air plutôt agitée, ici.

— Pas de problème, répondit Mac, s'efforçant de se comporter comme il imaginait qu'un vrai dur le ferait. Il ne craindrait pas d'entrer dans ce genre de lieu ni d'y emmener sa jeune et jolie compagne.

Pourtant, à peine à l'intérieur, il se rendit compte qu'il ne se trouvait absolument pas dans son élément. La salle était tellement bondée qu'ils eurent toutes les peines du monde à se frayer un chemin vers le bar. Au passage, Mac aperçut quelque petites tables rondes et des box dans deux salles latérales, mais elles aussi étaient pleines de gens qui faisaient la fête, parlant fort et riant.

Lorsqu'ils atteignirent le bar, Mac songea à l'article très instructif qu'il avait lu. La différence entre le rebelle et le gentil garçon, c'était que ce dernier laissait sa partenaire commander en premier puis il disait : je prendrai la même chose. La rebelle, lui, savait également se comporter en gentleman. Il laissait sa partenaire commander en premier, mais lorsque son tour arrivait, il commandait quelque chose de plus fort qu'il buvait d'un trait. Cela faisait toujours impression sur les femmes, disait l'article.

— Que veux-tu boire ? cria-t-il à Laurel par-dessus le brouhaha.

—Je veux bien une bière, hurla-t-elle en retour.

Le barman s'approcha d'eux. Mac commanda la bière pour Laurel, puis il ajouta :

— Un bourbon. Sec.

Plus le temps passait, moins il se sentait à l'aise dans ce lieu. Le barman posa les consommations sur le comptoir. Mac saisit son verre et le vida d'un trait. L'alcool lui brûla la gorge telle une traînée de feu et il toussa, suffoqué.

Laurel posa la main sur son épaule.

— Ça va ?

— Oui. Ce n'est rien, rétorqua-t-il d'une voix éraillée.

Il fallait absolument qu'il se calme, songea-t-il. Sinon il allait devoir renoncer à ses projets avec Laurel.

Pour sauver les apparences, il feignit d'apprécier le goût du bourbon en dépit du mal qu'il avait à récupérer, et le son de la musique bien qu'elle rendît toute conversation impossible. En un mot, il fit tout pour donner l'impression qu'il prenait son pied dans ce bar.

En fait, Mac détestait cet endroit et plus encore, la façon qu'avaient certains hommes de regarder Laurel.

— On cherche une table pour dîner ? lui lança-t-il par-dessus la musique.

Elle acquiesça d'un signe de tête et ils gagnèrent le fond de la salle. Mac repéra aussitôt un couple qui partait et ils s'installèrent. Il aida Laurel à ôter son blouson, s'efforçant d'ignorer les regards insistants braqués sur elle.

Fort heureusement, la musique s'arrêta bientôt et le groupe annonça qu'il faisait une pause. Le niveau sonore redevint à peu près acceptable.

Laurel saisit la main de Mac, celle qui tenait la clé le jour où elle l'avait soigné, au magasin.

— Alors, comment va cette blessure ?

— Très bien. Ce n'était qu'une égratignure.

Elle retourna sa main, effleura ses doigts, caressa sa paume, l'air pensif.

— Ça te plaît d'être mécanicien ?

Mac ne savait que répondre. Il aimait bricoler les motos, mais c'étaient l'argent et la Bourse qui le passionnaient. Il s'efforça de rester aussi près de la vérité que possible.

— Oui, j'aime réparer les machines.

Laurel chercha son regard.

— Qu'est-ce qui te plaît dans le fait de les réparer ?

— Comment ça ?

— L'aspect manuel ? La dextérité ? Je me demandais si c'était ce que tu aimais dans ce métier, travailler avec tes mains.

Mac écoutait, absorbé par la caresse des doigts de Laurel sur sa peau.

— Oui, j'aime bien me servir de mes mains…

Mais en cet instant, c'était glissant sur la peau douce et satinée de Laurel qu'il les imaginait, caressant les courbes envoûtantes de son corps, s'arrondissant sur ses seins.

Elle croisa son regard et il sut qu'elle avait deviné où s'égaraient ses pensées.

— Elles ne sont pas très marquées pour des mains de travailleur, dit-elle. Tu as un secret ?

— Oui, un secret, on peut dire ça comme ça, répondit-il en priant pour qu'elle ne se rende pas compte de son trouble.

Il emprisonna la main de Laurel dans la sienne, en caressa la paume du pouce. Il sentit quelques petites callosités, de minuscules coupures.

— Et toi, qu'est-ce que tu fais dans la vie, Laurel ? demanda-t-il.

— Je suis analyste financier, pour la Waterford Scott. Tu connais ? C'est l'une des cinq plus grosses boîtes du pays.

La Waterford Scott était cliente de la Malone Financial Services. Mac se souvenait d'avoir vu passer des dossiers la concernant. Sauf qu'un homme comme lui n'était pas censé connaître quoi que ce soit au monde des affaires.

— Jamais entendu parler, mentit-il sans vergogne.

Il fixa Laurel et sourit.

— Si tu me disais plutôt comment tu t'es fait toutes ces petites marques sur les mains, si tu travailles dans un bureau ?

La réaction fut immédiate. Laurel ôta sa main. Elle saisit son verre de bière, en but une gorgée.

— Domaine réservé, dit-elle, secouant la tête. Il est encore un peu tôt pour que je te le dise...

— Domaine réservé ? Ça sonne comme quelque chose de très personnel, dis-moi, répondit Mac d'une voix douce, s'efforçant de la mettre à l'aise.

Laurel pinça les lèvres, tendue brusquement, sur la défensive, et il songea qu'elle allait l'envoyer au diable. Mais derrière cette fermeture soudaine, il sentit une vulnérabilité qui le toucha.

Et excita aussitôt sa curiosité. Il pensait avoir cerné Laurel. Hum... Sous ses airs très sages, la demoiselle était visiblement plus complexe qu'il n'y paraissait.

La serveuse arriva sur ces entrefaites et déposa leurs assiettes sur la table. Dès qu'elle se fut éloignée, Mac sourit et tendit la main à Laurel.

— Mais rassure-toi, je n'ai pas l'intention de me montrer indiscret.

Elle sourit à son tour, lui tendit sa main. Elle lui faisait confiance et il se sentit coupable brusquement. Il ne méritait pas cette confiance, mais il la désirait pourtant plus que tout.

Ses doigts effleuraient ceux de Laurel lorsque, soudain, une grosse main s'abattit, la saisissant par le poignet.

Interloqués, ils levèrent la tête et découvrirent un type à la mine patibulaire, baraqué et barbu, en jean et blouson de cuir. Il fixait Laurel d'un regard concupiscent.

— Allez, viens, ma belle, on danse, grogna-t-il, tandis que le groupe se remettait à jouer.

Laurel le toisa, mais il n'en avait que faire. Elle jeta un regard en direction de Mac.

— Tu ne vas tout de même pas laisser ce petit rigolo

t'en empêcher ? lança l'intrus, tout en empoignant le bras de Laurel pour la forcer à se lever.

Mac se leva aussitôt. Laurel tentait de se dégager mais l'homme la maintenait fermement.

Tout s'enchaîna alors si vite que Mac n'eut même pas le temps de se rendre compte de ce qui se passait. Il ouvrait la bouche pour protester, ordonner au type de lâcher Laurel lorsque ce dernier se retourna et lui balança un direct en pleine figure. Il partit en arrière, déséquilibré, et se rattrapa à la table. Du sang coulait de son nez et il sentit son goût métallique dans sa bouche.

L'homme rit et lança :

— Pour qui te prends-tu, petit malin, hein ?

Il entraînait déjà Laurel et Mac sentit que la situation lui échappait totalement. Il y avait tellement de monde dans le bar que les videurs postés à l'entrée ne s'étaient rendu compte de rien.

La joue et le nez douloureux, il s'élança, apostrophant le type. Lorsque ce dernier se retourna, Mac lui balança un crochet du gauche qui l'envoya valser sur une table. Les clients s'écartèrent.

L'homme se releva et se jeta sur Mac, mais cette fois, il était prêt. Son poing entra directement en contact avec la mâchoire du type qui s'écroula contre lui. Mac le repoussa, juste au moment où deux videurs arrivaient. Ils s'en emparèrent et l'entraînèrent vers la sortie.

— Vous, les motards d'opérette, vous me débectez, hurla l'homme en direction de Mac.

Dans le bar, c'était un tollé général, mais Mac ne songeait déjà plus qu'à Laurel. Il l'attira contre lui, la serra dans ses bras.

4.

Ce soir, la nuit risque d'être chaude... Que choisissez-vous de porter ?

a. votre petit string noir
b. du coton blanc très sage
c. une guêpière de dentelle
d. rien

Extrait du test de *Belle et Sexy* :
Quel type d'homme vous fait craquer ?

Laurel pressa son visage contre le dos de Mac tandis qu'ils roulaient dans l'air frais de la nuit. L'incident du Rock Show Bar était derrière eux à présent, mais elle était encore totalement grisée par cette aventure. Mac avait été sublime. Jamais aucun homme ne s'était battu pour elle et il y avait dans cet acte quelque chose de primaire, de sauvage, qui la bouleversait.

Et qui l'excitait au-delà de tout.

Elle avait mené une existence tellement protégée jusqu'à présent. Pour la première fois, elle avait un aperçu de ce que la vie pouvait offrir de dangereux et d'exaltant à la fois. Tous les sens en éveil, elle sentait son corps vibrer d'une énergie nouvelle.

Un frisson la parcourut et les reins assaillis d'un désir

soudain, elle se cambra, se serra plus fort contre lui, impatiente. Elle avait hâte qu'ils arrivent chez elle.

Lorsque Mac gara la moto devant chez elle, elle sauta à terre et le tira par le bras. Il résista. Surprise, elle se tourna vers lui.

— Que se passe-t-il ?

— Tu es sûre de vouloir que j'entre ? Je ne voudrais pas m'imposer, tu as peut-être envie d'être toute seule…

Laurel le regarda, interloquée. En cet instant, elle n'avait que faire des questions polies et des bonnes manières.

— Je n'ai envie ni de sollicitude ni d'être seule, rétorqua-t-elle.

— De quoi as-tu envie ?

— De toi.

Elle le vit déglutir, un nouvel exemple de comportement qui ne cadrait pas très bien avec le personnage, le cuir et la moto. Mais l'heure n'était plus à déchiffrer les énigmes. Elle était trop impatiente.

— Viens, dit-elle.

Il la suivit jusqu'à la porte, demeura derrière elle tandis qu'elle l'ouvrait.

De nouveau, il tenta de l'arrêter.

— Tu es bien sûre, Laurel ? Vraiment certaine ?

Cette fois, elle ne répondit pas. Elle le saisit par la manche, le tira à l'intérieur. Puis elle claqua la porte et le plaqua carrément contre le bois. Déjà, ses lèvres cherchaient les siennes. Elle avait faim de lui, de sa force, de sa chaleur. Haletante, ivre de désir, elle se pressa contre lui.

Voilà ce qui lui avait tant manqué dans la vie : la passion. Cette attirance fulgurante pour un homme, ce désir fou qu'elle sentait brûler dans ses veines. Une petite voix en elle tenta de la dissuader de faire l'amour avec lui, ici, dans l'entrée de son appartement respectable, mais elle la fit taire aussitôt.

Rien ne pouvait l'arrêter désormais. Elle savait ce qu'elle voulait et son corps tout entier vibrait de cette force nouvelle. Elle ne pouvait plus attendre. Elle lui arracha son blouson tandis que sa bouche dévorait la sienne. Quelque chose de lourd tomba sur le sol avant le cuir, mais elle n'y prêta aucune attention. Elle ne songeait déjà plus qu'à lui ôter son T-shirt. Il protesta et elle le plaqua plus fort contre la porte, emprisonnant ses poignets d'une main ferme.

— Tu veux jouer les dévergondées, Laurel ? murmura-t-il lorsqu'elle libéra sa bouche.

Le souffle court, son pouls battant à cent à l'heure, elle plaqua les mains sur son torse, les laissa glisser sur sa peau, pressant avec fièvre les muscles souples et chauds sous ses paumes.

— Doucement, dit-il. Doucement.

— Je ne veux pas aller doucement, rétorqua Laurel. Je te veux, Mac. Maintenant.

A présent que le moment était venu de faire le grand saut dans l'inconnu, elle avait besoin de savoir s'il serait à la hauteur, prêt à lui faire l'amour, purement et simplement, sans barrières ni inhibitions. Elle voulait être certaine qu'il était bien l'homme qu'elle cherchait.

Elle voulait un homme viril qui la fasse sienne, qui la prenne et se laisse prendre par elle en retour. Elle voulait du sexe, de la passion, de la sueur, et non pas faire l'amour gentiment, tendrement, en personne civilisée. Elle n'en pouvait plus de la bonne éducation et des manières convenables.

Il leva un sourcil, étonné, et elle vit une lueur soudaine enflammer son regard.

— Je ne t'imaginais pas aussi… entreprenante. Tu veux

m'étonner, c'est ça, me montrer jusqu'où tu es capable d'aller ?

Un frisson de panique mêlée d'excitation parcourut Laurel.

— Je ne veux rien montrer. Je veux prendre.

Il était si près d'elle que la chaleur de son corps irradiait à travers ses vêtements tandis que son odeur virile, troublante, l'assaillait, combinaison entêtante au parfum d'interdit. Son souffle chaud balayait sa joue, ébouriffait les petites mèches de cheveux sur le côté de son visage et la tension montait, de seconde en seconde, le désir s'exacerbait, violent, irrépressible, dans l'air chargé d'électricité.

Laurel se sentait fondre, les reins assaillis d'une étrange langueur. Son sexe palpitait, déjà humide, prêt à s'offrir, à être pénétré. Sans un mot, elle referma une main sur sa nuque, attira son visage vers le sien et elle prit sa bouche avec ardeur. Un gémissement lui échappa soudain lorsque, répondant à son baiser avec une fougue égale, il mêla sa langue à la sienne, envahissant la douceur de sa bouche, plongeant et replongeant en elle avec une vigueur à lui couper le souffle tandis qu'il la retournait contre la porte, l'y plaquait à son tour, pressant ses hanches contre elle, son sexe en érection au creux de ses cuisses.

Ils s'écartèrent l'un de l'autre, le temps pour lui d'ôter son T-shirt et de la débarrasser de son blouson et de son petit haut. Et leurs bouches s'unirent de nouveau, avides, se mordirent, se détachèrent un instant pour se reprendre, dans l'urgence de se retrouver, s'épousant à perdre haleine.

Laurel se sentait chavirer. Ses doigts effleurèrent son torse, le caressèrent, pressèrent un instant les pointes dures de ses tétons à travers la toison douce, les titillèrent, avant de descendre vers son ventre. Il poussa un grognement. D'un geste vif, il fit glisser les bretelles de son soutien-gorge, dénuda ses seins. Elle sentit soudain la pression de ses mains malaxant leur chair ferme et douce, faisant rouler leurs pointes dressées sous ses paumes.

Alors elle perdit pied, consciente néanmoins de cette incroyable liberté qu'elle s'accordait. La liberté de faire avec cet homme ce qu'elle n'avait exploré avec aucun autre. Se donner sans entrave ni retenue, s'abandonner au désir sans autre but que celui de vivre une aventure sexuelle jusqu'au bout du plaisir.

C'était insensé. Elle si prudente à l'accoutumée. Mais, confusément, son corps lui disait qu'elle pouvait avoir confiance en cet homme. Un homme qui la faisait se sentir intensément féminine et désirable, comme faite pour lui. Et elle voulait être à lui, sans réserve.

Eperdue, le corps en feu, elle chercha à tâtons la ceinture de son pantalon de cuir. Ses doigts fébriles la dégrafèrent. Déjà, elle faisait glisser la fermeture le long de son sexe bandé. D'un geste, elle libéra son pénis. Il était long, puissant et dur. Elle pressa son gland, puis l'emprisonna entre ses doigts, palpitant, gorgé de sève, et imprima un mouvement de va-et-vient qui lui arracha un grognement de plaisir.

Il réagit aussitôt, le corps traversé d'un désir fulgurant. Ses doigts experts dégrafèrent son pantalon et le firent glisser avec son petit slip le long de ses hanches. Lorsqu'ils tombèrent à terre, elle les enjamba, s'en débarrassa aussitôt.

Ses mains puissantes et chaudes remontèrent le long de ses cuisses, ses doigts plongèrent entre ses jambes. Elle était moite, chaude, incroyablement excitée. Il écarta les lèvres de son sexe, caressa un instant sa chair gonflée avant de plonger fermement deux doigts en elle. Laurel ne put retenir un cri et se plaqua contre sa main.

Il sentit les muscles de son sexe se contracter autour de ses doigts. Alors, il chercha son clitoris et l'emprisonna entre le pouce et l'index. Elle s'immobilisa un instant, tremblante, le corps parcouru d'un violent frisson. Puis soudain, elle se mit à bouger. Il n'en fallut pas davantage. A cet instant, ce fut comme si un éclair traversait ses reins et elle jouit en un long spasme, son cri de plaisir étouffé par leur baiser.

Elle arracha sa bouche à la sienne et le repoussa en arrière, vers le fauteuil de l'entrée. Se penchant alors, elle saisit un préservatif dans son sac et le déroula sur son sexe dressé, savourant le contact de son membre palpitant sous ses doigts. Alors, le saisissant par les épaules, elle l'enjamba, et, sans le quitter des yeux, elle le chevaucha.

Elle était magnifique, ses grands yeux bruns chavirés de désir. Il la saisit par les hanches, mais, déjà, elle descendait sur lui. Elle aurait voulu pouvoir jouer avec lui, prendre tout son temps, mais elle n'y tenait plus. Elle le voulait en elle, puissant, possessif. Elle voulait le sentir dans sa chair et, d'un seul mouvement, elle s'empala sur lui, l'absorbant tout entier dans le fourreau étroit de son sexe.

Il se cambra pour mieux la pénétrer, poussant un long gémissement rauque. Laurel se tendit. Le souffle lui manqua soudain et elle se cramponna à ses épaules tant la sensation était intense, inouïe. Mais elle voulait davantage, bien davantage et elle se mit à bouger, se frottant contre lui. Il répondit aussitôt, s'accordant à son rythme, l'accélérant soudain, et elle le chevaucha frénétiquement, sans retenue, dans un abandon total de tout son corps.

Il referma une main sur sa nuque, saisit ses cheveux dans son poing et lui renversa la tête en arrière tandis que, son autre main plaquée au creux de ses reins, il l'amenait contre lui, ses seins aux pointes durcies pressant son torse.

Leurs corps étroitement enlacés, elle continua de le chevaucher tandis que ses lèvres chaudes, humides, caressaient son cou, sa gorge. Lorsqu'il effleura sa poitrine frémissante, elle gémit. Il prit alors la pointe dressée d'un sein dans sa bouche, l'agaça du bout de la langue, la mordilla. Puis il recommença avec l'autre, lentement, la léchant avec application, la mordillant avec volupté jusqu'à ce qu'elle n'y tienne plus. Glissant les doigts dans ses cheveux, elle guida son visage vers sa poitrine, comme en une prière silencieuse, et il obéit, écartant les lèvres pour aspirer avec volupté un sein dans sa bouche.

Il le suça avec avidité et elle en ressentit la sensation jusque dans son sexe. Elle gémissait, incapable de se retenir, sentant monter en elle les prémices du plaisir, là où le sexe de Mac planté dans sa chair palpitait, chaud, puissant. Eperdue, elle se cambra, ondulant avec frénésie, et chavira soudain, tout son être emporté dans un torrent de sensations tandis que l'orgasme la submergeait.

Mac abandonna alors tout contrôle et, soulevant les hanches, il s'enfonça encore plus profondément en elle, de toute la force de son sexe bandé. Et soudain, poussant un long cri rauque, il explosa en elle, le corps secoué par les spasmes violents du plaisir.

Ils restèrent un long moment enlacés, éblouis, vaincus, trop épuisés pour bouger. Laurel entendait les battements frénétiques de leurs cœurs résonner à l'unisson et dans ces minutes qui semblaient vouloir durer éternellement, ce lien profond entre eux était tout ce qui lui importait.

Mac ouvrit le réfrigérateur de Laurel à la recherche de quelque chose à grignoter. La bagarre et le départ précipité du Rock Show Bar ne leur avaient pas laissé le temps de dîner. Laurel venait de monter se doucher et il lui avait promis d'attendre son retour. En réalité, il n'avait pas la moindre envie de s'en aller, de la quitter. Pour un baroudeur rebelle, c'était réussi !

Bon sang, il était mal parti.

Peut-être n'aurait-il pas dû s'embarquer dans cette histoire ? Il n'avait pas du tout prévu de faire l'amour avec Laurel, ce soir, et il était un peu dépassé par les événements. Depuis qu'il avait endossé ce personnage, tant de choses lui arrivaient. Il avait joué le jeu, il avait voulu correspondre à ce que Laurel désirait et, à sa grande surprise, ce n'était pas sans provoquer un certain écho en lui. En un sens, il se sentait beaucoup plus proche qu'il ne l'aurait cru de ce Mac Hayes qu'il incarnait.

Il trouva un bol de pâtes et le mit à réchauffer dans le micro-ondes. Deux minutes plus tard, il y plongeait sa fourchette.

Il se plaisait avec Laurel et il n'en était pas surpris. Elle l'avait tout de suite attiré. Elle était vive, intelligente, spontanée, et faire l'amour avec elle avait été extraordinaire. En un mot, elle comblait en lui un vide dont il ne soupçonnait même pas l'existence avant qu'elle vienne le distraire de sa solitude par sa personnalité complexe, mélange d'appétit de vivre et de moments de vulnérabilité.

Il s'adossa au comptoir de la cuisine. Son regard vagabonda, se posa sur la table. Toute une série de coupures de presse s'y trouvait étalée. Un article, en particulier, attira son attention. Il disait : « Anne Wilkes Malone remet à Melanie Graham, conservateur du musée des Arts décoratifs, un chèque de vingt millions de dollars pour créer une aile consacrée à la présentation des œuvres Arts déco ».

Une autre coupure retint son attention. « Anne Wilkes Malone, native de New York et née le 22 mai 1954, nous a quittés le 17 juin. Nous nous associons à la douleur de sa famille, son mari William Tarlton Malone, sa fille Laurel

Anne Malone et son fils Dylan William Malone. Anne Wilkes Malone était diplômée de Nightingale Bamford.

Elle rassembla la collection d'œuvres Arts déco Anne Malone connue dans le monde entier et qui fait partie des collections permanentes du Metropolitan Museum de New York, centrée autour des œuvres de Jacques-Emile Ruhlman… »

— Je vois que tu aimes mes pâtes.

La voix légèrement rauque de Laurel l'interrompit dans sa lecture. Il leva les yeux vers elle tandis qu'elle entrait dans la cuisine, pieds nus, un sourire illuminant ses traits.

Elle avait enfilé une petite brassière de sport rose et un pantalon assorti, légèrement brillant. Ses cheveux étaient encore humides. Son parfum frais l'enveloppa et il sentit sa poitrine se serrer. Il brûlait d'envie d'enfouir son visage au creux de son cou et de s'enivrer de son odeur, de la douceur de sa peau. S'il s'était écouté, il l'aurait enlevée dans ses bras et emmenée à l'étage pour s'endormir avec elle, serrée dans ses bras.

Pour être mal parti, il était mal parti !

— Je plaide coupable, dit-il très vite. J'adore tes pâtes.

— Et, en plus, tu fouilles dans mes affaires.

Il désigna l'article qui avait attiré son attention.

— Anne Malone était ta mère ?

— Tu la connaissais ?

— Non.

Décidément, il avait l'art de jouer avec le feu.

Il ne pouvait pas dire à Laurel que sa propre mère faisait partie du conseil d'administration du musée des Arts décoratifs et qu'il avait rencontré Anne Wilkes Malone au cours d'une soirée de gala.

— J'ai entendu parler d'elle.

— Oh, tu t'intéresses aux femmes mécènes ?

Comment allait-il se sortir de ce mauvais pas ? Laurel le regardait, sceptique. Il y avait de quoi. Il était peu probable qu'un motard mécanicien puisse s'intéresser à l'action de sa mère.

Mac opta pour la vérité.

— Je me souviens d'avoir lu un article la concernant lorsqu'elle a fait don d'œuvres Arts déco au Metropolitan Museum, voilà tout. Mais toi, que fais-tu avec toutes ces coupures de journaux ?

— Avec mon frère, on prépare une commémoration en l'honneur de ma mère. On voudrait organiser une vente aux enchères d'œuvres d'artistes qui commencent à être connus, et il ne nous manque plus qu'un lieu pour la vente. Tous ces articles vont être rassemblés dans un album que le public pourra consulter.

— Ton père ne participe pas à l'événement ?

Les mots avaient échappé à Mac avant même qu'il ait eu le temps de les retenir. Laurel se détourna très vite.

— Il est très pris, ces temps-ci. Il n'a pas le temps de s'en occuper.

Elle lui tournait le dos, tendue. Elle ne voulait pas qu'il voie son visage, mais le ton de sa voix l'avait trahie. Mac sentait qu'il y avait un problème.

Elle mit la machine à espresso en route.

— Encore un sujet sensible, hein ? dit-il doucement.

— Oh que oui... Mon père s'investit totalement dans son entreprise. Depuis le décès de ma mère, c'est devenu son obsession. Tu veux du café ?

— Volontiers.

Le regard de Mac s'attarda sur sa nuque. Il avait envie de la caresser, de sentir sa peau nue frissonner sous ses doigts. Il s'efforça d'écarter ces pensées pour revenir à la conversation.

— Et tu as une idée de ce qui le pousse à se conduire comme ça ?

Elle se tourna vers lui, méfiante. Normal. Ils se connaissaient à peine, il comprenait sa réticence à lui parler d'un sujet aussi personnel. Elle leva le menton d'un air de défi, mais il lut dans son regard une douleur qui lui fit mal.

— Je ne sais pas, dit-elle. Nous ne nous parlons plus comme nous avions coutume de le faire lorsque ma mère était encore en vie. Si nous changions de sujet ?

Mac aurait voulu l'aider, mais visiblement elle préférait garder ses distances. Sans doute parce qu'il n'était pour elle qu'un amant de passage.

— Comme tu veux, répondit-il, s'efforçant de dissimuler sa frustration.

Elle lui tendit une tasse de café fumant.

— Bon, maintenant qu'on est intimes, et que tu connais tous les détails de ma vie, à ton tour !

Aïe, songea Mac. Tout allait dépendre des questions. Mais si elle avait envie de mieux le connaître, cela prouvait au moins qu'elle s'intéressait à lui. Il avait besoin de temps pour vaincre ses défenses et lui révéler des détails intimes pouvait être une bonne façon de commencer.

— Vas-y, dit-il, demande-moi ce que tu veux.

— Je sais que tu as un frère qui tient un magasin de motos et un autre dans la finance, mais je ne sais pas pourquoi tu as choisi d'être mécanicien.

— Parce que le métier me plaît et que les horaires sont très souples. J'aime aller et venir à ma guise.

— Solitaire et indépendant, avant tout, n'est-ce pas ? lança Laurel en passant devant lui.

Elle gagna le salon, s'installa sur le canapé, les jambes repliées sous elle. Mac la rejoignit.

— Pas vraiment. J'aime les contacts, le tien en particulier, ajouta-t-il en s'approchant, mimant un regard lubrique.

Elle rit, le repoussa.

— Au fait, je ne t'ai pas remercié pour le pantalon. Il est superbe, même si c'est un peu troublant : c'est une coutume, chez toi, ce genre de cadeau au premier rendez-vous ?

— Non. Pas toujours. C'est juste que tu avais l'air de t'intéresser beaucoup à la moto, et j'ai pensé que c'était une bonne façon de te faire partager un peu de ma passion.

Laurel posa sa tasse sur la table basse, puis elle emprisonna son visage entre ses mains et lui sourit. Un sourire éblouissant.

— Et tu avais raison. J'ai passé un moment merveilleux avec toi. Tu m'as comblée, et tu n'imagines même pas à quel point… Tu sais, reprit-elle après un soupir, depuis que je suis entrée à la Waterford Scott, je n'ai pas vraiment pris le temps de vivre.

— Alors c'est pour faire une pause que tu es venue me chercher ?

Mac ne savait pas trop ce qu'il avait envie d'entendre comme réponse. Il connaissait la raison pour laquelle elle était venue le chercher en premier lieu, mais il espérait que c'était davantage à lui, Mac, qu'elle s'intéressait plutôt qu'au motard rebelle qu'il incarnait.

— En partie, dit-elle. La sage, la raisonnable Laurel a eu envie de voir comment on vivait dans le camp opposé.

Elle lui jeta un regard de côté.

— Tu me promets de ne pas te moquer de moi si je te confie un secret ?

— Promis.

— Je suis venue te chercher à cause d'un test que j'ai fait dans le magazine *Belle et Sexy* !

— Quel test ? demanda Mac, comme si de rien n'était.

Mais il sentit son estomac se crisper.

— *Quel type d'homme vous fait craquer ?*

— Et je suis le type d'homme qui te fait craquer ?

— Oui. Le rebelle !

Mac se mit à rire.

— Tu avais promis de ne pas te moquer ! s'exclama-t-elle en lui donnant une petite tape sur l'épaule.

Il emprisonna sa main, en embrassa la paume et elle rit à son tour.

— Maintenant, j'ai quelque chose d'important à te demander, reprit-elle. Alors, un peu de sérieux.

— D'accord.

— Ma belle-sœur est la rédactrice en chef du magazine *Belle et Sexy* et elle organise une soirée suite à ce test, justement. Tu accepterais de m'y accompagner ?

C'était sans l'ombre d'un doute une très mauvaise idée, mais Laurel semblait tellement heureuse à l'idée d'y aller avec lui qu'il n'eut pas le cœur de refuser.

— Il faudra que je porte un smoking ?

— Surtout pas ! Non, en cuir, comme d'habitude, ce sera parfait. L'idée c'est que chaque type d'homme décrit dans le test soit représenté. Cela te gêne ?

— Non, répondit-il, alors que son malaise ne faisait qu'augmenter.

Elle lui décocha un immense sourire.

— Bon, et maintenant à ton tour de me confier un secret, Mac ! Le genre de chose qui pourrait faire qu'on se moque de toi si ça se savait.

Il fit mine de réfléchir, l'air concentré.

— Eh bien, je loue régulièrement des dessins animés lorsque je vais chez ma grand-mère. Nous les regardons ensemble.

Laurel ne put s'empêcher de rire.

— Non !

— Si. Elle adore.

— Et toi ?

— Je suis un fan de dessins animés. Est-ce que cela ternit mon image de motard rebelle ?

— Un peu…

Elle s'approcha tout près de lui.

— Que dirais-tu d'aller faire un petit tour en haut ? Histoire de soigner ton image, ajouta-t-elle, mutine.

— Je crois qu'il vaudrait mieux que j'y aille, répondit Mac en se levant.

Il n'avait qu'une envie : se retrouver au lit avec elle. Mais il savait ce que devait faire son personnage.

— Très bien, dit Laurel.

Elle se leva. Il la suivit dans l'entrée, accompagnant du regard le doux balancement de ses hanches. Seigneur. Comment pouvait-il partir alors qu'elle était là, tout près de lui, si désirable, prête à se jeter dans ses bras ?

Il récupéra son T-shirt et l'enfila, puis Laurel lui tendit son blouson. Elle ne perdait pas un seul de ses mouvements, le regard troublant de ses beaux yeux bruns rivé sur lui.

Elle fit un pas pour ouvrir la porte et l'effleura au passage. Mac perdit alors tout contrôle et, l'attirant contre lui, il prit sa bouche. Elle eut un petit gémissement et lova son corps contre le sien tandis qu'elle répondait avec fougue à son baiser, lui faisant clairement comprendre qu'elle n'avait pas envie qu'il s'en aille.

Elle insista, se cambrant soudain contre lui, pressant son sexe contre le sien. Mac ne put retenir un grognement de plaisir. Il brûlait de lui arracher ses vêtements, la plaquer contre le mur et la prendre, là, tout de suite. Le sang battait dans ses tempes. Il avait le corps en feu.

A travers le brouillard du désir qui l'assaillait, il s'efforça de se souvenir pourquoi il faisait tout cela. C'était un plan à long terme. Il devait la lâcher, tout de suite, sinon il ne serait plus capable de le faire et enfreindrait une règle élémentaire.

Les règles étaient faites pour être transgressées, songea-t-il, mais pas celle-ci. Il ne devait brûler aucune étape.

Arrachant ses lèvres aux siennes, il s'écarta.

— Je m'en vais, dit-il d'un ton brusque.

Laurel s'avança vers la porte et l'ouvrit.

— Au revoir, répondit-elle, acceptant sa décision sans protester.

Au passage, son regard croisa le sien, deux lacs sombres qui le rivèrent sur place.

— Au revoir, dit-il alors très vite.

Et il s'éclipsa avant de changer d'avis.

5.

A quelle tentation avez-vous le plus de mal à résister ?

a. un dessert

b. les derniers potins

c. faire du shopping

d. un orgasme

Extrait du test de *Belle et Sexy* :

Quel type d'homme vous fait craquer ?

— Alors, baroudeur, que t'est-il arrivé ? s'exclama Tyler, une lueur amusée dansant dans ses yeux verts.

— Donne-moi une bière, lança Mac en passant devant lui.

Après avoir quitté Laurel, il était venu directement ici, chez son frère, dans le sud de Manhattan. Tyler aurait pu s'offrir un loft dans les quartiers chic, comme lui, mais ce n'était pas son style.

— Mais tu...

— S'il te plaît, Tyler, le coupa-t-il.

Ils gagnèrent la cuisine. Mac s'assit à la table et passa une main lasse dans ses cheveux. Tyler sortit une bière glacée du réfrigérateur et la posa devant lui avant de s'asseoir.

— Alors, tu me dis ce qui s'est passé ? répéta-t-il, se calant contre son dossier.

Mac saisit sa bière et en but une longue gorgée.

— Je l'ai emmenée dans un bar à motards et je me suis battu.

Tyler sourit.

— J'imagine dans quel état doit être le type !

— Assez mal en point.

— Tu m'as l'air de t'être amusé.

— C'était plutôt excitant, je dois l'admettre. Il faut dire que c'était une première. Cela étant, je ne sais pas comment je vais justifier cet œil au beurre noir.

Il jeta à son frère un regard amusé.

— Et la demoiselle ? Elle l'a mal pris et t'a planté ?

Mac se tourna sur sa chaise, nerveux.

— Non, au contraire. Ça l'a mise dans un état d'excitation insensé.

— Non. Ne me dis pas que tu as déjà…

— Elle est vraiment incroyable.

Il s'en tint là. Il n'avait pas l'intention de faire un rapport détaillé. Ce n'était pas son style.

— Mais alors, qu'est-ce que tu fais ici ?

— Je joue les types détachés. Je fais ce qu'elle attend de moi.

— Tu es parti ? Comme ça ?

Mac fixait un point, droit devant lui. Il se contenta de hocher la tête.

— C'était ce dont tu avais envie ?

— Bien sûr que non. Je hais ce genre de petit jeu.

Mac sentit sa gorge se serrer. Il avait envie de revoir Laurel, mais il aurait eu l'air malin de le lui dire.

— Je ne veux pas lui faire de mal, mais mon personnage était censé partir aussitôt après lui avoir fait l'amour, non ?

Tyler poussa un soupir.

— Exact. C'est ce que ferait un vrai dur. Mais ce n'est pas ce que toi tu ferais.

— Tu sais, dit-il avec un soupir, j'ai vraiment l'impression d'être un salaud.

— Ecoute, fais ce que te dicte ton instinct. Ça ne t'a pas trop mal réussi jusqu'à présent.

Mac se leva.

— Il faut que je passe chez moi. Merci pour la bière.

— Pas de problème. Hé, on pourrait peut-être déjeuner ensemble ?

— D'accord. Mais c'est toi qui régales. Ça t'apprendra à me mettre dans des situations pareilles.

— Je t'invite au McDo, joli cœur !

— Radin ! lança Mac en souriant.

Tandis qu'il dévalait l'escalier, une évidence s'imposa à lui : il fallait absolument qu'il revoie Laurel.

La sonnerie stridente d'une alarme de voiture réveilla Laurel. Elle se retourna dans son lit et ouvrit les yeux, s'efforçant de reprendre pied dans la réalité.

Elle glissa une main dans ses cheveux. Ils étaient tout emmêlés et aussitôt son esprit fut assailli par les souvenirs de la veille. Mac.

Elle se leva, attrapa son peignoir de soie et s'en enveloppa, nouant rapidement la ceinture autour de sa taille. Puis elle s'approcha de la fenêtre et s'y appuya, poussant un soupir. Mac. Un tourbillon d'émotions bouillonnait en elle. Stupéfaction, incrédulité et plaisir intense s'y mêlaient.

Elle avait agi avec une spontanéité, une témérité tout à fait inhabituelles et c'était merveilleux.

Elle ferma les yeux, revit le regard brûlant de désir de Mac. Un regard qui l'avait envoûtée, enflammée. L'espace d'un instant, elle avait cru y surprendre une lueur de culpabilité, mais mêlée à un plaisir si intense qu'elle en avait eu le souffle coupé.

Elle, en tout cas, elle ne regrettait rien. A son sens, il n'existait rien de plus merveilleux que le regard d'un homme qui meurt d'envie de vous toucher, de vous caresser. Un regard qui vous fait vous sentir belle et désirable et vous bouleverse à un point tel que rien que la seule évocation de ces instants fait courir des frissons dans tout votre corps.

Elle ouvrit les yeux, renversa la tête en arrière. Elle pouvait toujours se mentir, prétendre qu'il ne s'agissait que d'une aventure d'une nuit. Mais pour elle, il en allait tout autrement. S'ils avaient fait l'amour, c'était parce qu'elle l'avait voulu. Et Mac représentait davantage, bien davantage qu'un amant de passage. Se pouvait-il que leur histoire ait un avenir ?

Faire l'amour avec lui avait été tellement incroyable, caresser son torse, son sexe, le toucher en toute liberté... Il n'y avait pas eu à faire semblant de quoi que ce soit, à s'inventer des prétextes. Il avait suffi de se laisser aller, de s'abandonner à cette attirance fulgurante qui les avait poussés l'un vers l'autre. Jamais encore, elle n'avait fait l'expérience d'un désir aussi fort, connu une envie aussi urgente, irrépressible, de s'unir à l'autre, avec une ardeur presque brutale de la part d'un homme qui visiblement s'efforçait de se contrôler.

Laurel sentit ses joues s'empourprer soudain à ce souvenir. Oui, elle avait aimé qu'il la prenne sauvagement. Elle avait tout fait pour lui faire perdre le contrôle et elle avait aimé le perdre avec lui.

Elle referma les bras autour de ses épaules. Serrée ainsi, il lui semblait presque sentir encore l'étreinte de Mac.

Elle ne lui en voulait pas d'être parti. Depuis le départ, elle savait pertinemment à quoi s'en tenir avec ce type d'homme. Elle n'avait donc à s'en prendre qu'à elle-même.

Pourtant, elle ne pouvait s'empêcher de se repasser la même question en boucle. Pourquoi était-il parti ?

Un sentiment de malaise l'assaillit brusquement. C'était dimanche et ni lui ni elle ne travaillaient, à moins qu'il n'ait dû passer au magasin de motos. C'était une possibilité. Mais plus elle y songeait, plus son malaise grandissait.

Et s'il était parti non pas parce qu'il y était obligé mais parce qu'il en avait envie ?

Peut-être la nuit dernière n'avait-elle rien signifié pour lui. Laurel prit une grande inspiration. Bon, quoi qu'il en soit, elle n'allait pas se laisser démonter. De toute façon, elle ne pouvait absolument pas tomber amoureuse de cet homme. Il était le symbole d'une rébellion, d'un passage à l'âge adulte, une simple aventure en attendant de trouver l'homme de sa vie.

Ce que lui avait dit le frère de Mac était vrai, il n'était pas le genre de garçon qu'elle pouvait amener dîner à la maison et présenter à son père.

Elle quitta la fenêtre et se dirigea vers la salle de bains.

Aussitôt prête, elle partirait pour Cranberry. Elle allait démarrer un nouveau projet. Voilà qui serait parfait pour la distraire de Mac. Et en plus, elle se sentait très bien là-bas.

Brusquement, la sonnerie du téléphone retentit. Son cœur fit un bond dans sa poitrine. Mac !

Mais lorsqu'elle décrocha, ce fut la voix enjouée d'Haley qu'elle entendit à l'autre bout du fil.

— Salut, Laurel. Je me demandais si tu accepterais de me prêter ta petite robe Dolce & Gabbana. J'ai cette soirée au musée, demain, et je n'ai pas le temps d'aller faire les boutiques.

— Pas de problème. Tu n'as qu'à passer la chercher, tu as la clé. Je suis sur le point de sortir.

— Merci. Tu es un amour.

— En parlant de soirée, j'allais oublier. Je viendrai accompagnée à celle de *Mademoiselle Sexy*. Envoie-moi tous les détails.

— Génial ! J'en ai parlé à mon équipe et ils ont trouvé l'idée fantastique. L'invitation sera sur Internet dès demain. On se voit toujours pour déjeuner, Dylan, toi et moi, pour discuter de la commémoration pour ta mère ?

— Bien sûr. Si jamais j'avais un empêchement, je t'appelle. A plus tard. Au revoir.

Laurel raccrocha, déçue que ça n'ait pas été Mac. Elle enfila une chemise, une vieille salopette, puis elle attrapa son sac et descendit. Dans l'entrée, au moment d'ouvrir la porte, elle aperçut un objet près de la jardinière. Elle se baissa pour le ramasser. Il s'agissait d'un agenda électronique et elle fronça les sourcils, surprise. A qui pouvait-il bien appartenir ?

Brusquement, tout s'éclaira. Ce ne pouvait être qu'à Mac. Etrange pour un mécanicien, mais il n'était pas nécessaire d'être un cadre dynamique pour être fan d'informatique. Elle laissa tomber l'appareil dans son sac et sortit.

Mac et Tyler finissaient juste de déjeuner lorsque Tyler demanda :

— Tu connais ton emploi du temps de la semaine prochaine ? J'aimerais vraiment que tu puisses me donner un coup de main pour l'organisation du rallye.

Mac plongea la main dans la poche de son blouson pour attraper son notebook, mais elle était vide.

— Bon sang !

— Que se passe-t-il ?

— Je crois... qu'il a dû tomber de ma poche chez Laurel. Si jamais elle l'ouvre...

— Elle découvrira la vérité.

— Il vaut mieux que j'y aille tout de suite.

Que ce soit ou non ce qu'aurait fait son personnage en pareil cas, Mac n'avait pas le choix. Il n'était pas prêt à ce que la vérité éclate.

Il arriva chez Laurel en un temps record. Il frappa à la porte, dansant d'un pied sur l'autre, impatient qu'elle vienne ouvrir.

Ce serait un désastre si elle découvrait qui il était maintenant. Il voulait prendre le temps de faire plus ample connaissance avec elle, surtout après ce qui s'était passé hier. Il avait la ferme intention de lui révéler toute la vérité lorsque le moment serait propice.

Ce n'était pas maintenant, en tout cas.

Lorsque la porte s'ouvrit, ce n'était pas Laurel, mais une ravissante jeune femme blonde, tenant devant elle une robe de dentelle noire. Elle le fixa, l'air interrogateur, puis soudain, son visage s'éclaira.

— Vous cherchez Laurel, je parie. Désolée. Je suis sa belle-sœur, Haley.

— Elle n'est pas là ?

— Non. Elle a dû sortir.

— Vous savez où elle est allée ?

— Non, elle ne m'a rien dit. Mais pour tout vous dire,

nous trouvons plutôt curieux qu'elle disparaisse tous les week-ends sans dire à personne où elle va, même à ses amis... Enfin, je peux essayer de la joindre sur son portable, si vous voulez.

— Volontiers.

Ainsi, Laurel avait un secret, songea Mac tandis qu'Haley composait son numéro. De quoi pouvait-il bien s'agir ? Que tramait-elle dans le dos de sa famille ? Voilà qui ajoutait encore au mystère de cette fascinante jeune femme.

— Je suis désolée, dit soudain Haley. Elle ne répond pas.

Avec un peu de chance, ce satané agenda électronique se trouvait encore ici.

— Ecoutez, expliqua Mac, j'ai oublié quelque chose, hier soir. Puis-je entrer et jeter un coup d'œil ?

— Je ne sais pas, en l'absence de Laurel...

— Je promets de faire vite, si vous voulez bien attendre. C'est extrêmement important.

— Bon, d'accord. Mais dépêchez-vous. Je suis très pressée.

Mac entra. Il ne savait pas où chercher exactement, mais il ne pouvait pas être bien loin. Il regarda partout par terre, sous le fauteuil de l'entrée. Rien.

— Nom de nom !

— Vous ne trouvez pas ?

— Non. Savez-vous quand elle sera de retour ?

— Je n'en ai aucune idée. Oh, il faut que vous partiez à présent, ajouta Haley, le saisissant par le bras et le poussant vers la porte.

— Pourquoi ?

— Le père de Laurel arrive et je doute que vous ayez envie de lui expliquer quoi que ce soit.

Mac sentit son estomac se crisper. Il ne manquait plus que cela !

— Vous avez raison, répondit-il. Ravi d'avoir fait votre connaissance.

Il chaussa ses lunettes de soleil, sortit et dévala les marches. Au moment où il atteignait sa moto, il entendit M. Malone demander qui il était. La réponse d'Haley se perdit dans le vrombissement du moteur. Il démarra en trombe, comme s'il avait eu le diable à ses trousses.

Laurel tendit le tissu bleu électrique semé de points argentés sur le cadre qu'elle avait construit pour son canapé. Elle avait soigneusement poncé le bois et appliqué une lazure aux reflets argentés. Elle sourit, ravie. Le contraste entre bois et tissu produisait très exactement l'effet qu'elle recherchait.

Absorbée par sa nouvelle création, elle n'avait même pas ouvert son portable. Elle aimait se plonger dans le travail du bois, se couper du reste du monde. C'était avant tout pour cette raison qu'elle avait acheté cette maison de Cranberry. Mais aussi occupée soit-elle, il lui était impossible, aujourd'hui, d'échapper à ses pensées. Elle ne pouvait s'empêcher de songer à Mac, aux moments intenses qu'ils avaient partagés, au bonheur qu'elle avait éprouvé à s'abandonner comme jamais elle n'aurait imaginé pouvoir le faire. Elle s'était laissé guider par ses pulsions, et ce, en grande partie parce que Mac avait su se montrer incroyablement réceptif à la moindre de ses initiatives. Elle avait fait preuve d'audace et il l'avait suivie. Elle sourit, songeant combien elle s'était montrée téméraire avec lui, osée. Il n'avait pas eu l'air de s'en plaindre.

Bien que fatiguée après leurs ébats, elle n'avait pas trouvé le sommeil tout de suite. Elle repensait à la conversation qu'ils avaient eue au sujet de sa mère, une discussion très intime qu'elle ne pensait vraiment pas avoir avec lui. C'était étrange cette impression qu'il lui avait donnée de connaître sa mère... Quant à son explication, le fait qu'il aurait entendu parler d'elle et de sa donation dans le journal, elle sonnait faux.

Quoi qu'il en soit, se rappela-t-elle, sa relation avec Mac était purement physique et appelée à n'être que très brève. Dans son propre intérêt, elle n'aurait dû, en aucun cas, se trouver mêlée à quoi que ce soit de personnel ou d'affectif.

Lorsqu'il s'était montré insistant, elle aurait pu refuser de parler si elle l'avait voulu. Mais au lieu de cela, elle s'était laissé porter par ses questions, griser par sa voix, influencer par sa douceur et l'intérêt véritable qu'elle lisait dans son regard. Il avait été si facile de s'ouvrir à lui, de révéler des détails, concernant sa vie et sa mère, qui auraient dû rester privés. Il y avait si longtemps qu'elle n'avait plus été l'objet de toute l'attention d'un homme, écoutée comme si ce qu'elle avait à dire importait plus que tout, qu'elle s'était épanchée.

Bien qu'encline aux confidences, elle ne lui avait rien dit, toutefois, du chagrin qu'elle éprouvait à sentir son père si distant depuis un an, rien dit non plus concernant son manque total d'intérêt pour la commémoration qu'elle préparait. Comment expliquer qu'ayant aimé si profondément sa mère, il ne considère pas comme indispensable d'organiser un événement à la hauteur pour l'anniversaire de sa disparition ? Laurel en était meurtrie et elle lui en voulait terriblement. Mais elle n'avait pas su en parler avec lui, l'affronter, lui faire part de son désaccord. Son éducation l'en empêchait. Sa mère lui avait si souvent répété qu'une femme ne devait pas ruer dans les brancards qu'elle avait été incapable d'exiger de lui une explication.

Au moins, avec Mac, les choses étaient claires. Ils savaient l'un et l'autre à quoi s'en tenir. Il n'était pas question de coup de foudre et elle savait d'instinct qu'il n'était pas un homme à lui imposer quoi que ce soit…

Elle acheva de tendre le tissu et le fixa avec son agrafeuse. Puis, s'essuyant le front, elle attrapa sa bouteille d'eau et en but une longue gorgée. Au passage, elle aperçut son sac et songea de nouveau à l'agenda électronique.

Il serait extrêmement indiscret de l'ouvrir et d'y jeter un coup d'œil, mais la tentation était grande. Elle hésita et trancha. Pas question. Accepterait-elle, elle, qu'on agisse ainsi à son égard, qu'on vienne fouiller dans sa vie privée ? Certainement pas. Elle serait très choquée. Elle jeta un coup d'œil à sa montre. Mon Dieu, presque 18 h 30.

Elle attrapa son portable, l'ouvrit. Haley avait appelé quatre fois. Elle songea un instant à la rappeler, mais autant s'arrêter en passant puisque sa maison se trouvait sur le chemin du retour.

Il lui fallut une demi-heure pour tout ranger et fermer la maison et le garage. La circulation était particulièrement fluide et elle arriva très vite chez Haley.

Dylan sortait les poubelles et il lui adressa un petit signe de la main tandis qu'elle descendait de voiture.

— Alors, on fait son travail d'homme ? lança-t-elle en plaisantant.

Il s'approcha, la serra dans ses bras.

— Que nous vaut l'honneur de ta visite ?

— Haley m'a appelée. Je me suis dit que j'allais m'arrêter en passant.

— Nous n'avons pas encore dîné, tu n'as qu'à te joindre à nous.

— D'accord. Ce sera l'occasion de parler de la vente aux enchères. En plus, j'ai une faim de loup.

Dès qu'Haley aperçut Laurel, elle s'écria :

— Laurel, où étais-tu passée ? J'ai essayé de te joindre je ne sais combien de fois.

Dylan jeta un regard surpris à sa femme et Laurel se demanda ce qui avait bien pu se passer pour qu'elle ait l'air à ce point paniqué.

— Dylan, pourrais-tu sortir le poulet du four et mettre les pommes de terre dans un plat ? demanda-t-elle, toute douce, le gratifiant d'un sourire désarmant.

— Ça va, j'ai compris, je vous laisse discuter toutes les deux !

Dès qu'il eut tourné les talons, Haley attrapa Laurel par le bras et l'entraîna dans le bureau de son mari. Elle referma soigneusement la porte et s'assit avec elle sur le joli petit canapé à dossier rond que Laurel avait créé pour le lui offrir à Noël, prétendant l'avoir acheté dans une boutique.

— Que se passe-t-il ? demanda-t-elle. Pourquoi tous ces mystères ?

— Ton ami motard était chez toi aujourd'hui et ton père l'a vu.

Laurel faillit s'étrangler.

— Oh non ! Qu'a-t-il dit ?

— Ton motard ?

Elle leva les yeux au ciel, exaspérée.

— Non, papa.

— Il a demandé qui était ce type et autant te dire qu'il n'avait pas l'air content.

— Que lui as-tu répondu ?

Haley prit un air contrit.

— Je n'ai vraiment pas assuré, je suis désolée, dit-elle d'une voix tremblante. Je lui ai dit la vérité.

Laurel sentit son sang se glacer.

— Oh, mon Dieu ! Tu lui as parlé du test et de ma visite au magasin de motos ?

— Non ! s'exclama Haley, l'air offensé. Je ne suis quand même pas bête à ce point. Je lui ai dit que tu sortais avec.

— Non ! tu n'as pas fait ça !

— Je sais, reprit Haley d'un air piteux. J'aurais pu trouver quelque chose de mieux, du genre… il demandait son chemin.

Laurel prit une longue inspiration.

— Bon, ce qui est fait est fait… Dis-moi plutôt ce qu'il voulait.

— Ton père ?

Laurel secoua la tête.

— Non, le motard.

— Oh, il a dit qu'il avait perdu quelque chose.

— Ah oui, son agenda électronique.

— Il a un agenda électronique ? s'exclama Haley. C'est bizarre, non ? Tu as jeté un coup d'œil dedans ?

— Jamais de la vie !

Laurel se leva, se mit à arpenter la pièce.

— Moi, ça ne me pose pas de problème, dit Haley. Donne-le-moi.

Laurel s'arrêta net.

— Haley !

— Allons, je suis certaine que tu en meurs d'envie.

— Haley ! Laurel ! appela soudain Dylan, on peut passer à table si vous avez fini de papoter. Le dîner est en train de refroidir.

— Allons-y, dit Laurel, ravie de mettre un terme à cette discussion sur l'agenda.

Haley la suivit en direction de la cuisine.

— Au fait, il est sacrement sexy ton motard.

— Haley, tu es mariée ! Et avec mon frère, qui plus est.

— Oui, oui, chantonna cette dernière tandis qu'elles approchaient de la cuisine. Mon mari est très sexy et je l'aime à la folie, bla, bla, bla ! Mais je n'ai pas pour autant perdu la vue. Ce mec a des yeux à tomber à la renverse. Et sa bouche… Ça ne m'étonne pas que…

— Je t'étrangle si tu continues ! la coupa Laurel.

— Donc tu l'as fait avec lui, rétorqua Haley, hochant la tête d'un air entendu. En même temps je te comprends !

Laurel s'arrêta si brusquement qu'Haley buta contre elle. Elle se retourna et lui décocha un regard noir.

— Je ne te dirai pas un mot là-dessus. En tout cas, pas maintenant et l'estomac vide.

— Oh, là, là, quelle rabat-joie ! Je te préviens, Margo et moi avons bien l'intention d'obtenir tous les détails.

— Margo est au courant ?

— Evidemment ! Je te rappelle qu'elle est ma meilleure amie. Il fallait bien que j'en parle avec quelqu'un puisque tu étais injoignable. Au fait, où étais-tu ?

— Ce poulet sent incroyablement bon ! s'exclama Laurel en entrant dans la cuisine, ravie de couper court à cet interrogatoire.

Après le dîner, Laurel avait voulu prendre congé de ses hôtes, mais il était très tard, et elle avait fini par se laisser convaincre de passer la nuit chez eux. Haley lui prêterait des vêtements pour le lendemain, c'était l'un des avantages d'avoir une amie qui faisait exactement la même taille !

A présent étendue dans le lit de la chambre d'amis, Laurel réfléchissait. Comment son père réagirait-il après avoir vu Mac ? Peut-être pourrait-il avoir enfin avec elle une conversation qui traiterait d'autre chose que du temps ou de la façon dont elle s'en sortait à son travail.

Son travail... Aussitôt, elle songea à M. Herman et à ce que lui réservait l'avenir. Allait-il lui ôter la gestion du compte Spegelman et saper son autorité face aux analystes financiers qu'elle supervisait ou laisserait-il les choses en l'état ?

Rien que d'y penser, elle avait l'estomac noué. Gérer les conflits n'était pas son fort. C'était une aptitude qu'elle n'avait pas et que personne, chez elle, ne l'avait encouragée à acquérir.

Elle tendit la main pour éteindre la lumière. Ce qu'il lui fallait, c'était une bonne nuit de repos. Elle était épuisée. Au passage, elle accrocha son sac et son contenu se renversa sur le tapis. Elle se leva en pestant pour récupérer les objets éparpillés et tomba sur l'agenda électronique.

Que faire ? Elle le posa sur la table de nuit et se recoucha. Au cours du dîner, elle s'était rendu compte qu'elle ne pouvait pas appeler Mac pour l'avertir qu'elle l'avait trouvé. Elle ne possédait pas son numéro et Haley non plus. Elle n'avait pas eu le temps de le lui demander avant l'arrivée de son père.

Laurel éteignit la lumière, mais à la lueur du réveil, l'agenda électronique continuait de la narguer sur la table de nuit.

Bon sang !

Lundi matin, Mac n'était toujours pas parvenu à joindre Laurel. Il l'avait appelée un nombre incalculable de fois, la veille. En vain. Où pouvait-elle bien être ?

Il ne cessait de penser qu'à tout moment elle pouvait ouvrir son agenda électronique et découvrir sa véritable identité.

Il sentit son estomac se crisper. Ce qu'ils avaient partagé était extraordinaire et il voulait davantage. Bien davantage. Il voulait la revoir, la connaître, faire l'amour avec elle à s'en étourdir.

Tôt ou tard, il faudrait qu'il lui avoue la vérité, il le savait. Il faudrait qu'il trouve les mots pour s'expliquer, faire en sorte que la surprise ne se transforme pas en colère et qu'elle ne l'envoie pas au diable. Mais il était peut-être trop tard. Peut-être avait-elle ouvert l'agenda et découvert qui il était ? Cela expliquerait pourquoi elle ne répondait pas au téléphone.

Après le déjeuner, son assistante passa la tête dans l'entrebâillement de la porte de son bureau.

— Monsieur Tolliver, M. Malone souhaite vous voir.

Mac leva la tête et fixa Sherry, son cœur battant comme un fou. M. Malone l'avait-il reconnu, finalement ? Bon, pas d'affolement. Inutile de tirer des conclusions hâtives parce qu'il se sentait coupable. M. Malone voulait sans doute le voir pour des raisons purement professionnelles.

— Monsieur Tolliver ? insista Sherry.

— Oui, j'y vais, répondit Mac en se levant.

Il fit le tour de son bureau et passa devant Sherry. Elle avait l'air inquiet. Etait-elle au courant de quelque chose ou seulement préoccupée par son attitude inhabituelle ?

— Je vous trouve l'air fatigué, monsieur Tolliver. Et c'est quoi, cet œil au beurre noir ?

Mac hocha la tête.

— Je suis rentré dans une porte et je n'ai pas très bien dormi, la nuit dernière.

Il fourra les mains dans ses poches tandis qu'il prenait le chemin du bureau de son patron. S'il était devenu Mac Hayes, le motard rebelle, c'était pour attirer l'attention de Laurel, pour qu'elle s'intéresse à lui. A présent, à la lumière de ce qu'il avait vécu avec elle, il mesurait combien il perdrait si elle apprenait trop tôt la vérité sur son compte. Il avait besoin de temps pour la séduire. Il voulait qu'elle soit tellement éprise de lui qu'elle lui pardonne son stratagème. Mais avec M. Malone dans la course, il risquait de la perdre et de perdre son travail, par la même occasion...

Il s'avança vers Lucy, assise à son bureau.

— M. Malone m'attend.

Elle décrocha son téléphone, appela son patron.

— Vous pouvez entrer, dit-elle après avoir échangé quelques mots avec lui.

Mac s'avança vers les lourdes portes de chêne. Lui, si confiant, si sûr de lui, si déterminé voilà encore quelques jours, il se sentait pitoyable aujourd'hui, incapable de réfléchir à ce qu'il dirait au père de Laurel s'il avait découvert que le motard et lui ne faisaient qu'un.

Il ouvrit la porte et entra. M. Malone attendait, assis à son bureau. Il leva les yeux et l'observa d'un regard perçant tandis qu'il avançait. Plus de doute. Il savait !

Mais à son grand étonnement, William Malone se leva et lui tendit la main. Mac en demeura abasourdi.

— Ravi de vous voir, Tolliver. Asseyez-vous.

Mac s'exécuta.

— C'est réciproque, monsieur.

— Je savais que j'avais pris la bonne décision en vous engageant.

William Malone se cala dans son dossier et le regarda, un petit sourire aux lèvres.

Il ne penserait pas la même chose s'il savait au sujet du motard, songea Mac. Il serait fou de rage.

— Pourquoi dites-vous cela, monsieur Malone ?

— Appelez-moi Bill.

Il se pencha par-dessus le bureau, le regard brillant d'excitation.

— Je viens de recevoir un appel de Kevin Coyle, de la Coyle et Hamilton.

— Il était l'un de mes clients à la Lockhart-Titan.

— L'un de vos plus gros clients, si je ne m'abuse ?

— Le plus gros.

— Il veut que vous gériez son portefeuille. Il quitte la Lockhart-Titan pour venir chez nous.

Mac eut soudain l'impression que le poids du monde venait de lui être ôté des épaules.

— Je suis flatté qu'il ait été à ce point satisfait de moi. Je continuerai de gérer ses affaires avec le même professionnalisme, monsieur… euh… Bill.

— Parfait. Il vous attend à son bureau dans une heure.

Mac se levait déjà. William Malone lui fit signe de se rasseoir.

— Il y a une autre question que je souhaiterais aborder avec vous. Assez délicate. C'est au sujet de ma fille.

— Votre fille ?

Le répit n'avait été que de courte durée.

— J'aimerais que vous fassiez sa connaissance.

Mac se sentit devenir blême. Il se leva d'un bond.

— Impossible.

William Malone le regarda, surpris.

— Il y a un problème avec ma fille ?

— Non. Je voulais seulement dire que ça ne va pas être possible au cours des deux semaines à venir. Mon emploi du temps est extrêmement chargé.

Seigneur, il ne manquait plus que cela !

— Mais de toute façon, reprit-il d'une voix un peu trop rapide, pourquoi tenez-vous à ce que je fasse sa connaissance ?

Le père de Laurel s'enfonça un peu plus dans son fauteuil.

— Eh bien, voyez-vous, il semblerait qu'elle ait rencontré quelqu'un qui ne lui convienne absolument pas.

— Et ?

— Vous êtes issu d'une excellente famille et vous êtes un battant. En un mot, une personne nettement plus fréquentable. Quand serez-vous libre ?

— Pourrais-je vous le faire savoir ?

— Bien sûr, mais ne tardez pas trop. Je ne veux pas que Laurel se croie amoureuse de ce... motard. Ah, bien entendu, cette conversation doit rester strictement confidentielle.

Mac tint le coup jusqu'au bureau de Sherry. Elle n'était pas là et il s'effondra littéralement dans son fauteuil. Mon Dieu, quelle pagaille ! La situation était pour le moins cocasse et il aurait dû en rire, mais il n'en avait pas la moindre envie.

Soudain, la sonnerie du téléphone retentit. Il passa une main dans ses cheveux et décrocha.

— Tolliver, dit-il, sans même réfléchir.

— Mac ?

C'était Laurel. Il ferma les yeux.

Pour une pagaille, c'en était une !

— C'est toi ? demanda Laurel, abasourdie de tomber sur lui au lieu de Sherry.

— Oui, c'est moi. Bonjour, beauté.

— Mais que fais-tu à...

Brusquement, Laurel comprit.

— C'est vrai, suis-je bête. Tu es venu rendre visite à ton frère !

— Oui... euh, non. En fait, je suis venu apporter la facture pour ton amie.

— Sherry ?

— Oui. Pour la moto qu'elle a achetée samedi.

— Oh. Je cherchais justement à la joindre.

— Elle n'est pas là.

— Ah bon…

Laurel garda un instant le silence, puis elle se lança :

— En fait, Mac, pour être tout à fait honnête, c'était toi que je cherchais à joindre…

— Génial ! Quand et où ? Et surtout… pour quoi faire ?

Laurel rit.

— Eh bien, on pourrait dire ce soir ? Pour une surprise, comme la dernière fois. J'adore tes surprises…

— Alors, à ce soir mon ange !

— Mac, attends, j'ai besoin…

Trop tard. Il avait déjà raccroché. Laurel reposa le combiné avec un soupir. A l'origine, elle appelait Sherry pour obtenir le numéro de Mac par l'intermédiaire de son frère. Elle voulait lui rendre son agenda, en finir avec la tentation permanente de l'ouvrir. Mais pour être tout à fait honnête, c'était surtout de voir Mac dont elle avait envie.

La veille, elle n'avait cessé de penser à lui. A deux reprises, elle avait failli ouvrir l'agenda, mais elle s'était ressaisie. Elle voulait qu'il puisse avoir confiance en elle.

C'était ridicule, elle le savait. Leur histoire n'était pas appelée à durer très longtemps. Enfin, pour l'instant, elle avait la ferme intention d'explorer le corps magnifique de cet homme, et ce, de toutes les manières possibles.

Un coup frappé à la porte l'arracha à ses réflexions.

— Laurel ? Vous allez à la réunion du personnel ?

Laurel sentit son estomac se nouer. Elle saisit son ordinateur portable, les mains soudain moites. Elle écouterait ce qu'il en était au sujet du compte Spegelman, puis elle dirait ce qu'elle avait à dire. Elle répondrait avec calme et maîtrise. Elle en était parfaitement capable. Elle n'avait pas fourni tout ce travail pour rien.

— J'arrive, répondit-elle.

Son ordinateur à la main, elle gagna d'un pas décidé la salle de conférences.

M. Herman et ses subordonnés, Mark Dalton compris, étaient déjà installés. Mark la regarda traverser la salle et s'asseoir à la seule place restée libre.

— Merci de vous joindre à nous, mademoiselle Malone, lança M. Herman d'un ton lourd de reproche.

Laurel accusa le coup intérieurement, mais elle n'en laissa rien paraître et procéda à l'exposé des résultats de son équipe. Dès qu'elle eut terminé, M. Herman enchaîna en faisant le point sur les nouveaux comptes et félicita deux des employés pour avoir amené de nouveaux clients à la société.

Puis il se tourna vers elle.

— Nous avons encore un point à aborder avant de lever la séance, dit-il d'un ton ferme. Laurel, dans la mesure où vous avez à gérer les comptes de plusieurs clients très exigeants et qu'il vous faut du temps pour vous acclimater, j'ai décidé de confier la gestion du compte Spegelman à Mark.

Laurel resta sans voix. « Dis quelque chose », lui criait son cerveau, mais elle était paralysée. Tous ses arguments s'étaient envolés en fumée. Elle ouvrit la bouche pour parler, mais aucun son ne sortit. Tous les regards se tournèrent vers elle. Elle aurait voulu rentrer sous terre.

— Très bien, monsieur Herman, dit-elle d'une voix blanche.

Sa réponse mit un terme à la réunion.

Elle resta assise, incapable de bouger, blessée et tellement déçue par son incapacité à se défendre ! Elle vit la salle de conférences se vider de tous ses occupants. Tous sauf Mark. Elle se tourna alors vers lui, qui arborait un sourire satisfait.

— Que se passe-t-il, Laurel ? L'échec de la politique de favoritisme vous laisse sans voix ?

La réflexion de Mark la prit totalement au dépourvu.

— De quoi parlez-vous ?

Il eut un petit rire sarcastique et rassembla ses notes.

— Vous le savez pertinemment.

— Désolée, mais je ne vois pas du tout où vous voulez en venir.

Elle se leva, les jambes flageolantes.

— Et vous voudriez que je croie cela ! lança-t-il avant de quitter la pièce.

Voilà qui ne manquait pas d'intérêt. Pour autant qu'elle sache, M. Herman ne faisait jamais preuve d'aucun favoritisme et il n'avait pas non plus pour habitude de louer particulièrement son travail. En y réfléchissant, toutefois... C'était étrange. Elle avait fait beaucoup depuis son arrivée dans l'entreprise et excellé dans son travail, personne ne pouvait dire le contraire. Alors, pourquoi avait-elle soudain l'impression d'avoir été traitée avec injustice ? Elle pouvait fort bien s'occuper du compte Spegelman tout en apportant de nouveaux clients à l'entreprise ! En tout cas, elle n'était peut-être pas parvenue à s'expliquer, mais M. Herman et Mark allaient voir qui elle était !

Alors qu'elle regagnait son bureau, son assistante la rejoignit, tout essoufflée.

— Kelly, que se passe-t-il ?

— Quelqu'un vous attend dans votre bureau.

Laurel fronça les sourcils.

— Je n'ai pas de rendez-vous. J'en aurais oublié un ?

— Non. Croyez-moi, répondit Kelly, il ne s'agit pas d'un client.

— Qui est-ce, alors ?

— Je ne sais pas, mais il est habillé tout en cuir et il a les fesses les plus sexy que j'aie jamais vues...

Laurel jeta un coup d'œil en direction de son bureau. La porte entrouverte offrait une vue parfaite sur les fesses de Mac, moulées dans le cuir noir. Elle le vit contourner le bureau. Il s'assit dans son fauteuil et le fit pivoter pour admirer la vue qu'offrait l'immense baie vitrée. Brusquement, ce fut comme si les nuages se dissipaient, révélant un ciel immense, d'un bleu intense.

Un bleu à couper le souffle, comme celui de ses yeux.

Laurel sourit, pénétra dans le bureau. Lorsqu'il entendit la porte se refermer, il pivota vers elle.

Elle sentit le souffle lui manquer. Assis avec nonchalance dans ce fauteuil, il la regardait d'un air détendu, tout à fait à l'aise. Comme s'il savait qu'elle trouvait ce genre d'aplomb non seulement provocateur, mais extrêmement excitant.

Laurel ignorait ce qu'il était venu faire, mais à le voir ainsi, si sexy, elle céda à son instinct, et, traversant la pièce à la hâte, elle vint s'asseoir sur ses genoux, le cœur battant.

Elle sentit la pression de ses cuisses fermes et musclées sous ses fesses, le cuir de son pantalon caresser la peau nue de ses jambes, et un frisson délicieux la parcourut. Elle referma une main sur sa nuque, laissa l'autre glisser sur son torse, caresser ses muscles souples et chauds à travers le T-shirt et elle plongea son regard dans le sien.

Elle était si près qu'elle sentait se soulever sa poitrine au rythme saccadé de sa respiration. Elle voyait le désir brûler, intense, dans son regard bleu profond, elle sentait l'odeur virile, enivrante de sa peau.

Il posa une main sur sa cuisse et au contact de ses doigts sur sa peau nue, elle sentit son corps tout entier s'embraser.

— Embrasse-moi, dit-il simplement.

6.

Qu'est-ce qui vous fait vibrer ?
a. son charme
b. ses muscles
c. son intelligence
d. ses lèvres expertes
Extrait du test de *Belle et Sexy* :
Quel type d'homme vous fait craquer ?

Mac attendait qu'elle agisse. Laurel ne le connaissait que depuis peu, mais cela lui ressemblait tout à fait. Il voulait la provoquer. Qu'à cela ne tienne, elle relèverait le défi.

Elle inclina la tête, posa ses lèvres sur les siennes, les caressa. Elles étaient chaudes et douces et elle ne put retenir un gémissement de plaisir. Déjà, elle prenait sa bouche. Il répondit aussitôt avec fougue, mêlant sa langue à la sienne, pressant follement ses lèvres.

Elle referma une main sur sa nuque, caressa ses cheveux épais, soyeux.

Soudain, il interrompit leur baiser, enfouit son visage au creux de son cou, la respiration rauque, haletante.

— Bon sang, murmura-t-il, submergé par la force, l'intensité de l'attirance qui les poussait l'un vers l'autre.

Laurel rit. Elle ressentait exactement la même chose.

— Tout à fait d'accord, dit-elle dans un souffle, s'efforçant de conserver un semblant de pensée cohérente.

Il leva la tête, un sourire provocateur aux lèvres.

— Contrairement à ce que tu pourrais croire, je ne suis pas venu ici pour te renverser sur ton bureau, relever ta jupe et te prendre à même tes dossiers.

— Ah non, et pourquoi alors ? répliqua-t-elle, un sourire mutin aux lèvres.

— Pour t'emmener faire quelque chose de spécial qui, j'en suis certain, te plaira beaucoup.

Il caressa sa joue du revers de la main.

— Si nous ne partons pas tout de suite, nous allons être en retard.

Une onde de chaleur parcourut le corps de Laurel. Cet homme était vraiment incroyable. Elle s'imaginait déjà, nue, dans ses bras...

— En retard pour quoi ? demanda-t-elle.

— Je croyais que tu aimais les surprises...

Il se pencha pour effleurer son oreille du bout de la langue, en mordiller doucement le lobe.

— Alors, laisse-toi surprendre.

Laurel fut parcourue d'un frisson délicieux.

Mac leva lentement les yeux vers elle.

— En route ! lança-t-il.

— Mais, je..., commença Laurel.

C'était impossible. Elle ne pouvait partir ainsi.

Il se planta devant elle, la saisit aux épaules et plongea son regard dans le sien. Puis, la plaquant soudain contre lui, il prit sa bouche en un baiser possessif, si intense qu'il la laissa tout étourdie, les jambes flageolantes.

Elle passa la langue sur ses lèvres. Le goût de Mac l'excitait. Elle aimait sa nature fonceuse, son tempérament fougueux.

— Très bien, dit soudain Laurel. Où allons-nous ?

— Oh non, ce serait trop facile. Il va falloir attendre un peu, répondit-il.

Il la toisait, lui rappelant que, lui aussi, il pouvait mener le jeu et qu'il était homme à prendre ce dont il avait envie, et parfois, sans lc demander.

— Souviens-toi de ce que je t'ai dit, la première fois : j'aime la spontanéité.

N'importe quand et n'importe où. Laurel lut le message dans son regard et y plongea le sien, relevant le défi. De la spontanéité, des actes guidés par les pulsions du moment, cela lui allait parfaitement. C'était ce qu'elle cherchait et qu'elle avait trouvé en rencontrant Mac dans le magasin de motos.

Après le fiasco qu'elle venait de vivre dans la salle de conférences, elle avait besoin de faire quelque chose de fort, d'exceptionnel. Elle avait la ferme intention de mettre du piment dans sa vie rangée, si raisonnable.

Mac craquait littéralement pour Laurel, il n'y pouvait rien. Son rendez-vous s'étant terminé tôt, il avait eu envie de la voir, incapable d'attendre jusqu'au soir. Il avait bien fait. A l'évidence, elle avait été impressionnée par son arrivée dans le bureau, tout de cuir vêtu.

Tandis qu'il l'attendait pendant qu'elle passait prévenir son assistante qu'elle serait absente le reste de l'après-midi, il songea à leur baiser. Bon sang, cette femme avait du feu dans les veines. Elle avait failli lui faire perdre tout contrôle, décidée à obtenir ce qu'elle voulait, à le séduire par tous les moyens. Il aimait son audace, sa façon d'affirmer ses désirs. Avec elle, la relation serait un véritable échange, d'égal à égal, pour vivre les expériences sensuelles les plus troublantes et les fantasmes les plus débridés, il en était certain.

En fin de compte, jouer les rebelles ne lui paraissait plus une aussi mauvaise idée. Il était même plutôt heureux d'échapper à son propre personnage un peu sévère pour vivre cette aventure avec une jeune femme aussi excitante. D'ailleurs, se glisser dans son nouveau rôle était plus facile qu'il ne l'aurait cru. Cela signifiait enfreindre les règles, certes, mais il aimait ces escapades au pied levé avec Laurel.

L'air de l'après-midi était doux quand ils débouchèrent dans la rue. Laurel marqua un temps d'arrêt lorsqu'il s'approcha de la superbe voiture gris-bleu garée devant l'immeuble.

Il avait décidé de conduire sa voiture de sport, tout en sachant que Laurel ne manquerait pas de s'étonner qu'il puisse posséder un tel modèle.

— C'est un cadeau de mon oncle. Il possède une concession automobile dans l'Upper East Side de Manhattan.

— Les quartiers chic.

— Oui.

— C'est une très belle voiture, se contenta de dire Laurel.

Mais il sentit qu'il avait introduit un nouveau doute dans son esprit. Bon sang, il faisait tout pour coller au plus près à la vérité, lui mentir le moins possible. Mais lui montrer cette voiture était peut-être une erreur tactique qu'il n'aurait pas dû commettre. Comme il détestait avoir à réfléchir à tout ce qu'il disait, tout ce qu'il faisait !

S'efforçant de chasser ces réflexions dérangeantes pour profiter du moment, il se concentra sur sa conduite.

Bientôt, il se gara devant le Metropolitan Museum.

Laurel se tourna vers lui.

— On va au musée ? demanda-t-elle d'un air étonné.

Etonné et un peu déçu, constata-t-il avec amertume.

— Pourquoi, tu crois que les motards sont des gens incultes qui n'ont jamais mis les pieds dans un musée ?

— Non, ce n'est pas du tout ce que je voulais dire ! s'excusa-t-elle. Non, c'est juste que j'imaginais un endroit plus… excitant, plus dangereux, même.

— Qui a dit que cela ne serait pas excitant ? dit-il en l'entraînant par la main.

Laurel n'était pas revenue au MET depuis la disparition de sa mère. Elle n'aurait su dire pourquoi, mais elle se sentait nerveuse. Ce musée avait toujours été l'un de ses endroits préférés. Peut-être craignait-elle qu'il soit trop difficile de s'y retrouver alors que sa mère l'avait tant fréquenté. Mais elle n'était pas certaine que ce soit la véritable explication.

La main chaude de Mac serrait la sienne et elle aimait la sensation de leurs deux paumes unies. Elle pressa fort ses doigts contre les siens et se sentit mieux, un peu plus rassurée.

Mac lui fit traverser le musée jusqu'à l'auditorium Grace Rianey Rogers. Laurel s'arrêta en voyant la conférence qui était annoncée. *Melanie Graham, conservatrice du département d'architecture et de design : Forme et fonctionnalité, Jacques-Emile Ruhlmann, lundi, 16 heures.*

— Comment savais-tu que Ruhlmann est mon ébéniste préféré ? s'exclama Laurel.

— Je ne le savais pas, mais je savais qu'il était l'artiste préféré de ta mère…

Laurel croisa le regard ardent de Mac. C'était comme s'il voyait clair dans son âme et pouvait y lire l'envie, le besoin, après avoir été confrontée à tant d'œuvres sublimes, de créer à son tour. D'essayer de capter, très modestement, un peu du génie de ces créateurs et artisans Arts déco.

Quelque chose qui se trouvait hors de sa portée. Elle ne possédait pas ce talent.

Une vague d'émotion la submergea, la prenant au dépourvu. Les mots ne lui vinrent pas. Comment avait-il pu penser à l'emmener ici ? Elle ne pouvait croire qu'il ait pu être aussi attentif à elle lors de la nuit qu'ils avaient passée ensemble.

— Ça va ? demanda soudain Mac, se penchant vers elle.

Laurel acquiesça d'un signe de tête malgré le nœud qui persistait à nouer sa gorge.

— Oui, c'est juste que tu es si...intuitif, je n'en reviens pas ! parvint-elle à articuler. Surtout après la journée que j'ai passée au bureau.

— Ton patron t'a donné du fil à retordre ?

— C'est le moins qu'on puisse dire !

— Pourquoi ?

— Je ne suis pas certaine, mais depuis que j'ai obtenu ma promotion, le mois dernier, j'ai l'impression qu'il m'en veut. Je ne comprends pas dans ce cas pourquoi il m'a donné ce poste s'il considère que je n'ai pas les capacités pour l'occuper.

— Tu ne le lui as pas demandé ?

— Non.

— Pourquoi ?

— Je ne sais pas... Les affrontements ne sont pas mon fort. Je sortais juste d'une réunion où il venait de m'enlever la gestion du compte d'un client important...

Il la prit par le menton, leva son visage vers le sien, l'obligeant à le regarder.

— Et que vas-tu faire ? Ne me dis pas qu'une petite tigresse comme toi n'a pas pensé à une riposte !

Il l'attira contre lui, la serra dans ses bras, caressant doucement son dos pour la réconforter. Laurel se lova contre lui, frissonnante.

— J'ai l'intention de ramener un nouveau client. Ils verront de quoi je suis capable, rétorqua-t-elle d'un ton ferme qui la surprit elle-même.

Il la serra plus fort et rit.

— Bravo.

Laurel rit, elle aussi, et se sentit soudain plus légère. Elle leva les yeux vers Mac, croisa son regard tendre et amusé. Mon Dieu, ce serait stupide de tomber amoureuse d'un homme comme lui. Un homme pour lequel l'indépendance et la liberté primaient sur tout. Mais il avait tant de charme…

— Et tu as déjà défini une stratégie ? demanda-t-il.

Elle s'écarta, s'efforçant de reprendre un peu de distance.

— Non. Pas encore.

— Mon frère, Ted, euh… m'a parlé d'une grosse société cliente chez lui.

— Ah oui ? Laquelle ?

— Coyle et Hamilton.

— Un gros poisson ! Et ils ne sont pas contents de leur gestion comptable ?

— Tout ce que je sais, c'est que Ted les aide à trouver les meilleurs services. Ça peut valoir le coup d'essayer, non ?

— J'imagine que je ne risque rien à les contacter, dit Laurel. Mais comment se fait-il que tu sois tellement au courant de ce qui se passe dans le monde des affaires ?

— Je me fie à mon instinct et cela m'a toujours réussi dans mon… euh… dans la vie. J'imagine que ce n'est pas très différent pour toi.

— Bonsoir, mesdames et messieurs, dit soudain une voix féminine, les interrompant dans leur discussion. Merci d'être venus assister à notre conférence. Tout d'abord, laissez-moi vous présenter notre conservateur, Melanie Graham.

Une charmante femme blonde s'avança sur le podium. Elle posa quelques notes devant elle et régla le micro.

— Bonsoir. Merci à tous de votre présence. Avant tout, je vous rappelle que vous pourrez visiter l'exposition à l'issue de mon intervention. Bien. Le mouvement artistique du XIXe siècle, commença-t-elle, s'est illustré par un retour à un artisanat de qualité, basé sur un design simplifié et des matériaux de grande qualité. L'art nouveau a ensuite introduit le concept selon lequel l'art ne pouvait se cantonner aux beaux-arts mais qu'il s'appliquait également aux objets fonctionnels tels que les meubles. Après la Première Guerre mondiale…

Laurel écoutait, passionnée.

Au bout de quelques minutes, Mac allongea un bras sur le dossier de son fauteuil et referma les doigts sur sa nuque. Elle fut parcourue d'un frisson délicieux, et la voix de Melanie Graham lui sembla tout à coup de plus en plus distante.

Mac laissa ses doigts glisser vers le cou de Laurel. Du pouce, il effleura sa peau et elle ferma les yeux. C'était une toute petite caresse, mais sa douceur, la façon dont cet homme la traitait compliquaient considérablement les sentiments qu'elle éprouvait au plus profond d'elle-même. Des sentiments qu'elle avait beaucoup de difficulté à combattre…

D'instinct, elle se rapprocha de Mac, et le parfum de son corps, l'odeur de sa peau l'assaillirent aussitôt. Il enfouit une main dans ses cheveux lâchés, les laissa glisser, soyeux, entre ses doigts. Laurel posa la tête sur son épaule et poussa un soupir.

Jamais personne ne lui avait fait un tel effet. Il l'impressionnait, et en même temps il la désarçonnait : il n'était jamais là où elle l'aurait attendu. Comme s'il y avait eu deux faces à sa personnalité, et elle n'aurait su dire celle des deux qu'elle aimait le plus.

Laurel ouvrit les yeux et s'efforça de se concentrer sur ce que disait Melanie.

— Jacques-Emile Ruhlmann est l'un des cinq designers exposés ici grâce à la générosité d'Anne Wilkes Malone. Il est considéré comme le premier ébéniste Arts déco et...

Laurel réagit en entendant prononcer le nom de sa mère. Elle était si fière de ce qu'elle avait accompli, tellement impressionnée par son dévouement à la cause de l'art.

Le regard de Melanie croisa le sien et Laurel eut soudain envie de fuir.

— Et maintenant, mesdames et messieurs, conclut Melanie, je vous invite à visiter l'exposition.

Quittant aussitôt le podium, elle appela Laurel qui, déjà, se levait. Elle se tourna vers Melanie, les paumes de main brusquement moites.

— Laurel, je suis si heureuse de vous voir.

Laurel sourit et se tourna vers Mac.

— Permettez-moi de vous présenter Mac Hayes.

Melanie lui serra la main.

— Je suis si flattée que vous ayez assisté à ma conférence, Laurel. Il y a longtemps que nous ne vous avons plus vue au musée.

— J'ai été très occupée, expliqua Laurel, l'estomac noué.

— Votre mère était une personne extraordinaire. Je ne peux me faire à l'idée qu'elle nous ait quittés.

Elle s'interrompit un instant et poussa un soupir.

— Comment se présente la merveilleuse commémoration que vous organisez ?

— Elle est dans l'impasse pour l'instant. Nous venons de découvrir que Christie's tenait une vente aux enchères très importante le même jour que nous et qu'elle ne peut être ni annulée ni repoussée.

— Oh, je suis vraiment désolée. Si je peux vous aider en quoi que ce soit, je vous en prie, faites-le-moi savoir.

— Je n'y manquerai pas.

Ils s'éloignèrent et Mac prit la main de Laurel dans la sienne.

— Ça va ?

— Oui.

— Ça n'a pas l'air. C'est cette conversation avec Melanie Graham qui t'a contrariée ?

— Non, je t'assure, ça va.

— Si tu le dis ! Bon, et que dirais-tu de sortir manger quelque chose ?

— Comme un hot dog ? lança Laurel, s'efforçant de faire comme si tout allait bien.

Brusquement, elle ressentait une impression désagréable, uns sorte de vide, comme si quelque chose lui manquait... Elle aurait voulu savoir quoi, au juste. La sensation d'oppression dans sa poitrine ne cessait de grandir.

— Un hot dog. Génial ! s'exclama Mac.

La main dans celle de Laurel, Mac l'entraîna vers la sortie. Il aurait voulu que cette journée ne se termine jamais. Après avoir dégusté leur hot dog sur les marches du musée, ils avaient gagné l'exposition et s'étaient régalés pendant près de deux heures devant les plus belles pièces de la collection Arts déco.

Il s'arrêta à l'entrée de l'aile où étaient exposées des photos d'Anne Wilkes Malone, ainsi que les nombreuses récompenses qu'elle avait obtenues pour son travail et sa contribution à la vie artistique. La pièce était en rotonde, et Mac se tourna tout à coup vers Laurel.

— Pourquoi tu n'organiserais pas la vente aux enchères ici, pour ta mère ? Tu pourrais disposer des chaises tout autour et placer le podium juste en face. Le mobilier, lui, pourrait être exposé dans le hall.

Laurel le regarda, puis elle se détourna, fixant un point au loin. Elle avait les yeux emplis de larmes.

— Tu pleures ? Ce n'était qu'une suggestion, tu sais...

Elle secoua la tête et referma les bras autour de son cou.

— C'est l'endroit idéal pour rendre hommage à ma mère. Comment n'y ai-je pas pensé moi-même ?

Mac la serra dans ses bras, son corps chaud et doux pressé contre le sien.

Il sentait que cette journée avait été une épreuve pour elle, il n'aurait su dire exactement pourquoi. Il aurait aimé en connaître les raisons, mais chaque fois qu'il avait tenté d'aborder le sujet, Laurel avait éludé ses questions.

— A présent, tout ce qu'il me reste à faire, c'est appeler cent cinquante personnes pour leur signaler que le lieu de la vente a changé.

— Tu veux que je te donne un coup de main ?

Elle leva les yeux vers lui, surprise.

— Mac, tu travailles demain. C'est très gentil à toi de me le proposer, mais tu n'as pas à faire cela.

Mac sentait qu'en s'impliquant de la sorte, il sortait de son rôle, mais cela lui était égal. Laurel le considérait comme un amant de passage. Il avait voulu jouer à ce jeu et il l'acceptait, mais il n'était pas tenu pour autant de la laisser en fixer toutes les règles. Il voulait pénétrer plus avant dans son intimité, l'aider, et s'il n'insistait pas, elle ne le laisserait jamais faire.

— Toi aussi tu travailles, demain, non ? Si je te propose de t'aider, ce n'est pas parce que je me sens obligé, mais parce que j'en ai envie.

Laurel l'observa un instant, son regard sombre impénétrable. Mac s'attendait qu'elle discute ou lui dise tout simplement non, qu'elle n'avait pas besoin de lui.

Mais au lieu de cela, elle pressa son corps contre le sien, provocante.

— Et que me demandes-tu, exactement, en échange de ce service ?

Bon, si elle voulait ramener les choses sur le terrain sexuel, qu'à cela ne tienne, si cela pouvait la faire se sentir mieux.

— Devine…, dit-il, l'entraînant soudain à l'écart et la plaquant contre le mur de marbre.

— Oh, je crois que je vois assez bien…

Elle n'eut pas le temps de terminer sa phrase. Déjà, il la soulevait contre lui. D'une main, il remonta sa jupe, lui écarta les jambes. Elle sentit soudain son sexe bandé presser son entrejambe.

Elle eut un petit rire.

— Tu es du genre pervers, Mac…

— Et tu adores ça, murmura-t-il, se penchant pour prendre sa bouche.

Lorsqu'il libéra ses lèvres, elle le fixa un instant et il sentit une étrange chaleur envahir sa poitrine. Il commençait vraiment à avoir Laurel Malone dans la peau.

— Viens, dit-elle, se tortillant contre lui pour qu'il la relâche. Allons prendre au mot l'offre d'aide de Melanie Graham… et louer cette magnifique rotonde.

Tandis qu'il manœuvrait dans la circulation très dense de la fin de journée, Mac jeta un œil vers le siège passager. Laurel avait renversé sa tête contre l'appuie-tête et fermé les yeux. Elle avait l'air calme, serein, le visage offert au vent qui balayait ses cheveux. Mais il repéra tout de suite la tension sur ses traits.

La nuit était presque tombée lorsqu'il gara la voiture devant chez elle. Laurel le prit par la main, l'entraîna à l'intérieur, jusque dans le salon.

— Je reviens, dit-elle. Je vais chercher la liste des gens à prévenir pour le nouveau lieu de la vente.

Quelques instants plus tard, elle réapparaissait, un paquet de feuilles à la main. Elle lui en donna quelques-unes ainsi que le téléphone. Puis elle s'installa avec les autres et son portable.

Plusieurs heures plus tard, Mac raccrocha à l'issue de ce qui serait son dernier appel. Il était trop tard pour poursuivre. Il se tourna vers Laurel. Elle était pelotonnée sur le canapé, endormie. Il la souleva dans ses bras et se dirigea vers l'escalier. Dans la chambre plongée dans la pénombre, il lui ôta sa robe et l'installa dans le lit.

L'espace d'un instant, il hésita. Puis il se déshabilla à son tour et se glissa à son côté. Il l'attira alors contre lui et, au comble du bonheur, il ferma les yeux.

Pour les rouvrir immédiatement. La main fine et douce de Laurel glissait le long de son corps, sur ses fesses, caresse lente et très douce comme pour savourer la forme de ses muscles, la texture de sa peau.

Leurs regards se croisèrent dans la pénombre. Elle était parfaitement réveillée.

— Merci, dit-elle d'une voix douce. Je suis désolée de m'être endormie et de t'avoir laissé tomber.

— Il n'y a pas de problème.

Déjà, il la prenait dans ses bras, l'embrassait dans le cou et se glissait entre ses jambes. Il la sentit frissonner, le souffle soudain court, et elle se cramponna à lui. Il bougea les hanches, pressant plus fort son sexe contre le sien, provocateur, et elle se cambra avec un gémissement de plaisir.

Tout alla alors très vite. Elle se retourna et ouvrit le tiroir de sa table de nuit. Quelques instants plus tard, elle enfilait le préservatif sur son sexe bandé, ses doigts fébriles caressant son gland, exacerbant encore un peu plus le désir violent qui le tenaillait. Alors, il perdit tout contrôle et la renversa sous lui.

D'un genou, il écarta ses jambes et la soulevant à sa rencontre, il la pénétra d'un seul coup de reins. Il s'immobilisa, emprisonna son visage entre ses mains.

— Regarde-moi, Laurel, dit-il d'une voix rauque.

Le regard rivé au sien, il se mit à bouger en elle, se retirant aussitôt pour mieux plonger de nouveau, de toute sa longueur, dans la douceur de sa chair. Et il recommença, avec une lenteur plus enivrante encore. Eperdue, elle renversa la tête en arrière et ferma les yeux, son pouls battant frénétiquement dans le petit creux, à la base de son cou.

Il ne quittait pas son visage des yeux et, profondément planté en elle, il bougeait. Il la sentait ouverte et, en même temps, il sentait son sexe étroit presser le sien, ses muscles se contracter autour de lui. Son corps se tendait. De seconde en seconde, la pression montait. Et il sut. Il avait une connaissance intuitive de son corps délicieux. Elle était près, tout près de jouir.

Il enfouit les doigts dans ses cheveux, l'obligea à redresser la tête.

— Regarde-moi, dit-il. Je veux que tu me regardes.

Au prix d'un incroyable effort, elle fit ce qu'il lui demandait, le regard brillant, chaviré.

— Reste avec moi, murmura-t-il.

Et il remua de nouveau. Elle voulut renverser la tête, mais il la maintenait fermement.

— Reste avec moi, répéta-t-il.

Il plongea son regard dans le sien et la fit sienne, bougeant contre elle, en elle, son sexe pressant plus fermement le sien à chaque assaut. Elle s'agrippa à ses bras et, remontant les genoux contre ses hanches, elle se cambra violemment sous lui. Il haletait, la respiration courte, désordonnée, tandis qu'il la prenait, la regardait répondre, perdre peu à peu le contrôle, grisé par la tension qu'il sentait monter en elle. Elle se cramponna à lui tandis que son regard s'embuait soudain, chavirait. Un cri rauque monta de sa gorge et tandis qu'elle s'arc-boutait une dernière fois, il sentit se répercuter en lui les spasmes de son plaisir.

Il n'avait jamais rien vécu d'aussi beau. Une incroyable émotion étreignait sa poitrine. Il prit Laurel dans ses bras et la serra contre lui, envahi par une foule de sentiments qui allaient bien au-delà du simple plaisir sexuel.

Il fallut quelques minutes à Laurel pour reprendre ses esprits, revenir à la réalité, et il la garda serrée contre lui, dans l'étreinte rassurante de ses bras. Finalement, elle remua sous lui, encore toute frissonnante, respirant avec peine.

Refermant les bras autour de son cou, elle enfouit son visage au creux de son épaule.

— Oh non, Mac. Tu n'as pas...

Il sourit, envahi par une immense tendresse.

— Je voulais te voir jouir, mon ange.

Elle sourit à son tour, espiègle, et avant qu'il ait eu le temps de dire un mot de plus, elle le poussa, le faisant rouler sur le dos.

— Il est hors de question d'en rester là..., murmura-t-elle.

Et pour appuyer son propos, elle referma une main sur son pénis dressé et se mit à le caresser en rythme tandis que, de l'autre, elle effleurait son gland du bout des doigts, le pressait doucement, l'agaçait. La respiration de Mac se fit rauque, saccadée. De seconde en seconde, il se sentait chavirer davantage, incapable de la moindre pensée, l'esprit possédé par ce plaisir qu'il sentait monter en lui. Il aurait voulu lui répondre, plaisanter, mais il ne trouvait déjà plus les mots...

Alors, refermant une main sur sa nuque, il l'attira vers lui, et prit sa bouche. Sa langue se mêla à la sienne, pressante, jouant avec elle avant de se retirer et de plonger de nouveau en elle, chaque fois plus intensément, plus profondément. Laurel ne put retenir un petit gémissement, le corps parcouru de sensations enivrantes.

D'un mouvement souple, elle s'installa au-dessus de lui. Lorsqu'il la saisit par les hanches, elle l'arrêta. Elle voulait être maîtresse du jeu. Emprisonnant ses poignets, elle plaqua ses bras sur le lit et, doucement, très doucement, elle descendit vers son sexe dressé, palpitant, juste assez pour en accueillir en elle l'extrémité, la caresser de sa chair.

Mac eut un cri rauque, mélange de plaisir et de frustration. Il avait envie de l'empaler sur lui, de la prendre sauvagement. Chaque sensation qu'elle faisait naître en lui se répercutait dans son pénis tendu à l'extrême, presque douloureux.

Elle se laissa alors descendre un peu plus et, soudain, le prit tout entier en elle. Il souleva les hanches à sa rencontre pour accompagner son mouvement et la sentit comme il ne l'avait encore jamais sentie, pleinement, intimement.

Ce fut une sensation violente primitive, intensément érotique. Une sensation qui le submergea et il s'y livra tout entier, cambrant ses reins pour la prendre, encore et encore, tandis qu'elle le chevauchait avec fougue, éperdue, s'abandonnant au rythme fou qui s'était emparé d'elle.

Mac poussa un grognement. Il ne voulait pas aller trop vite. Il voulait qu'elle jouisse. Il voulait l'entendre encore. Mais lorsqu'elle saisit ses mains, les posa sur ses seins, il perdit tout contrôle. Elle était belle, le corps tendu, la tête renversée en arrière, et il la voulait, à lui, maintenant. Elle se cambra soudain et il lâcha prise. Ensemble, ils jouirent, corps soudés, emportés par la violence des spasmes de plaisir qui se répercutaient en eux. Il aurait pu mourir en cet instant, peu lui importait.

Lorsque Laurel s'effondra sur lui, comme incapable de bouger, hors d'haleine, il sourit, heureux, comblé.

Elle le sentit.

— Pourquoi souris-tu ? demanda-t-elle, la voix encore tout alanguie.

— Comme ça.

Il appuya sa tête contre la sienne, savourant le contact de son corps nu, moite, abandonné contre lui. Puis il sentit les cils de Laurel effleurer son torse tandis qu'elle fermait les yeux. Il caressa ses épaules, son dos, tout doucement, et au bout de quelques instants, il sut, à son souffle léger, régulier, qu'elle s'était endormie.

Une immense satisfaction l'envahit. Elle se sentait suffisamment bien, suffisamment en sécurité, pour s'endormir dans ses bras. Il se tourna sur le côté, l'installa confortablement contre lui et poussa un soupir d'aise. Mais lorsqu'il ferma les yeux, il sentit sa gorge se nouer.

Il espérait ne pas être en train de tout gâcher en ne lui disant pas qui il était.

*
* *

Adossé au chambranle de la porte de la chambre, Mac regardait Laurel dormir. Pourquoi s'était-il réveillé ? Il n'aurait su le dire. Peut-être à cause de la fraîcheur du petit matin ou du robinet qui gouttait dans la salle de bains. Ou tout simplement parce qu'il se trouvait dans un appartement qui ne lui était pas familier. Quoi qu'il en soit, il n'avait plus sommeil. La lueur pâle de l'aube envahissait peu à peu la pièce et lui révélait Laurel.

Elle dormait, allongée sur le côté, face à lui, une jambe remontée sur le drap, sa respiration lente, régulière. Les fenêtres étaient restées ouvertes toute la nuit et la brise soulevait les rideaux, laissant entrer les odeurs de Manhattan et les sons de la ville qui s'éveille, coups de Klaxon, crissements de freins, portières de voitures qui claquent.

Mac but une longue gorgée de café en regardant filtrer un rayon de soleil et la pièce s'éclairer.

La nuit dernière, il faisait trop sombre pour qu'il puisse en apprécier le décor, le lit immense, le mobilier très élaboré. Les murs, alternance de tons pistache et sable doré, offraient un contraste étonnant auquel il n'aurait jamais pensé. Ils étaient agrémentés de tableaux abstraits aux coloris vifs, le tout ponctué par le bleu nuit de la moquette.

La décoration de la chambre de Laurel n'avait rien à voir avec celle de son salon, très conventionnelle. Mac l'observait, fasciné, plus intrigué que jamais par la personnalité multiple, si riche, de Laurel. Pourquoi sa chambre était-elle si différente du reste de la maison ?

Il termina son café d'un trait. Puis il traversa la chambre, posa sa tasse sur la table de nuit. Doucement, il effleura le bras de Laurel avant de remonter sur elle le drap froissé. Il la regarda dormir un moment encore et sentit bientôt son corps réagir, le désir l'assaillir, insistant. Pendant quelques secondes, il s'abandonna au fantasme qui venait de naître en lui et s'imagina, se glissant derrière elle, pressant son sexe contre ses fesses et s'insinuant doucement en elle, la pénétrant jusqu'à la garde. Hum...

Mais il devait partir, passer chez lui se changer. Il avait des rendez-vous importants, aujourd'hui, notamment chez Coyle et Hamilton. Il s'attarda pourtant, finit pas s'asseoir sur le lit et effleura ses cheveux, sa joue.

Laurel ouvrit les yeux et lui sourit.

— Bonjour, dit-elle d'une voix encore pleine de sommeil. Tu pars ?

— Oui, il faut que j'aille travailler. Le mardi est un jour chargé. Bonne chance pour Coyle et Hamilton. Il y a du café au chaud, dans la cuisine.

— Et en plus, il fait du café ! s'exclama Laurel. Je crois que je suis amoureuse !

Mac sentit son estomac se crisper. Il savait qu'elle plaisantait, alors pourquoi son cœur se mettait-il soudain à battre comme un fou ? Il se leva, se dirigea vers la porte. Au moment où il s'apprêtait à sortir, elle l'arrêta.

— Mac ?

— Oui ?

— Merci encore pour cette nuit. Les coups de fil, je veux dire.

— J'avais compris. Ce n'est rien.

Bonté divine, songea-t-il tandis qu'il quittait son immeuble, il serait prêt à en passer des millions pour un seul de ces regards si doux, si tendres, qu'elle avait eus pour lui.

Il était foutu.

7.

Vous rêvez qu'il vous emmène pour une balade en :
a. jeep
b. moto
c. jaguar
d. limousine
Extrait du test de *Belle et Sexy* :
Quel type d'homme vous fait craquer ?

Laurel arriva en retard à son travail mais, ce matin, peu lui importait. Et à la différence de Mac, le mardi n'était pas une journée très chargée.

Lorsqu'elle pénétra dans son bureau, elle trouva Mark assis dans son fauteuil. Il pivota vers elle et lui décocha un de ces regards méprisants dont il avait le secret.

— Que faites-vous ici ? demanda-t-elle d'un ton glacial.

— Je viens de régler un problème. J'étais à l'heure, moi.

Le sang de Laurel ne fit qu'un tour. Elle ferma un instant les yeux, s'efforçant de conserver son calme.

— Si je ne m'abuse, je suis votre supérieure et en tant que telle, vous devez me traiter avec respect. Je ne tolérerai aucune atteinte à mon autorité ni aucun commentaire déplacé.

Si vous avez le moindre grief, adressez-vous à M. Herman. Est-ce clair ?

Mark se leva. Il s'avança vers elle, jouant l'intimidation comme il avait coutume de le faire. Mais aujourd'hui, Laurel se sentait inébranlable, prête à affronter tous les Mark Dalton de la terre.

Elle leva le menton et le toisa.

— Très bien, Laurel. Mais sachez que le poste que vous occupez aurait dû me revenir. J'avais travaillé pour l'obtenir. On ne peut pas en dire autant de vous.

— Je suis désolée pour vous, mais cela n'a rien à voir avec moi.

— Vous croyez ? A votre place, je poserais la question à M. Herman.

— Je n'y manquerai pas. En attendant, je vous interdis d'entrer dans mon bureau et de répondre à mon téléphone. En outre, j'exige que vous me parliez avec respect. Dans le cas contraire, je me verrai dans l'obligation d'en informer M. Herman.

Mark ne répondit pas. Il quitta le bureau en claquant la porte derrière lui.

Laurel posa son attaché-case et s'assit, savourant cette petite victoire. Les propos de Mark l'avaient troublée, néanmoins. Mais qu'il aille au diable ! Elle n'avait pas de temps à perdre avec lui, son ego surdimensionné et ses insinuations sournoises.

Elle s'installa à son bureau, ouvrit son ordinateur et chercha Coyle et Hamilton sur Internet. Il était temps qu'elle se mette au travail et ferre un gros poisson pour prouver à qui en doutait encore que sa promotion était justifiée.

Elle passa la matinée à mettre au point une stratégie originale adaptée au type d'entreprise qu'était la Coyle et Hamilton. Lorsqu'elle fut prête, elle appela le siège et demanda à parler à Natasha Gold, la directrice des services financiers. Cette dernière, séduite par son approche très novatrice, l'écouta développer ses arguments et lui proposa un rendez-vous pour l'après-midi même, à 14 heures.

Lorsque Laurel eut raccroché, elle se leva et esquissa quelques pas de danse autour de son bureau. Elle ne remercierait jamais assez Mac de lui avoir fourni cette information !

Après s'être accordé quelques minutes, le temps d'apprécier ce premier succès, Laurel se remit au travail pour préparer son entretien. Vers midi, elle en avait défini les grandes lignes. Elle grignota un sandwich sur place, tout en s'occupant de la vente aux enchères. Elle contacta le traiteur, le fleuriste et quelques personnes qu'elle n'avait pu encore prévenir du changement de lieu.

Vers 13 heures, elle passa en revue la proposition qu'elle allait soumettre à Natasha Gold et y apporta la touche finale. A 13 h 30, elle était prête.

Elle rassembla ses notes, passa prévenir son assistante qu'elle serait en rendez-vous à l'extérieur et ne repasserait pas au bureau.

Dehors, elle héla un taxi et s'installa confortablement sur le siège pour un petit moment de relaxation. D'ordinaire, elle aurait eu l'estomac noué. Aujourd'hui, elle se sentait nerveuse, mais bien dans sa peau.

Elle plongea la main dans son sac, à la recherche de son rouge à lèvres. Ses doigts rencontrèrent un objet dur et elle fronça les sourcils. Oh, non ! Elle avait oublié de rendre à Mac son agenda électronique. Après tout ce qu'il avait fait pour elle, la veille, le moins qu'elle pouvait faire c'était de passer le lui rendre après son rendez-vous. Le magasin de motos ne représentait pas un grand détour. De plus, elle aurait le plaisir de surprendre Mac dans l'atelier.

Elle l'adorait en jean, avec son vieux T-shirt moulant ses muscles. Hum… rien que d'y penser… Haley avait raison. Quel corps de rêve !

Tandis que le taxi approchait de la 27e Rue, Laurel remarqua soudain un magasin vide. Au passage, elle tendit le cou. Il possédait une belle vitrine. Ce serait un endroit idéal pour installer une boutique, exposer et vendre ses créations. De plus, il se trouvait situé dans un quartier d'artisans et de magasins spécialisés attirant une clientèle qui serait sans doute intéressée par ses meubles. En se penchant, elle vit qu'il y avait suffisamment de place à l'arrière pour se garer et livrer.

Laurel poussa un soupir. D'où lui était venue cette idée ? Jamais elle n'avait considéré ses créations comme dignes d'être vendues. Certes, toutes celles dont elle avait fait cadeau remportaient un vif succès, mais de là à les commercialiser…

Laurel s'enfonça dans la banquette confortable du taxi. Voilà cinq ans qu'elle travaillait pour la Waterford Scott et elle avait la ferme intention de devenir un jour associée de l'entreprise. Alors, rêver de fabriquer des meubles et d'en vivre… franchement, ce n'était qu'une idée farfelue.

Une heure et demie plus tard, grisée par le succès qu'elle venait de remporter, Laurel sauta de nouveau dans un taxi pour se rendre au magasin de motos. Natasha Gold avait été enchantée et très impressionnée par les services que la Waterford Scott lui proposait. Elle souhaitait organiser une réunion pour présenter le projet à toute l'équipe ainsi qu'au conseil d'administration.

Le taxi s'arrêta bientôt devant le magasin de motos. Laurel

régla la course et descendit, tout excitée à la perspective de voir Mac.

Elle poussa la porte du magasin et entra. Tyler était occupé avec un client et elle se dirigea tout naturellement vers l'atelier.

— Vous cherchez Mac ? demanda Tyler.

— Oui. Il a oublié quelque chose chez moi, répondit Laurel, et comme je passais dans le coin…

Tyler l'interrompit.

— Il n'est pas venu ce matin.

— Dans ce cas, vous pouvez peut-être me donner son adresse ?

Tyler réfléchit un instant.

— Je doute qu'il apprécie…

Elle eut un petit rire.

— Et moi je suis sûre qu'il sera ravi de me voir ! lança-t-elle avec un grand sourire, avant d'ajouter, plus sérieuse : et surtout, je lui rapporte quelque chose dont il a vraiment besoin.

— Mac, elle est en route pour aller chez moi ! Remue-toi, lança Tyler.

— De quoi parles-tu ?

— De Laurel. Elle a dit qu'elle devait te rendre quelque chose d'important que tu avais oublié chez elle, et comme elle insistait, j'ai fini par lui donner mon adresse. J'imagine que tu ne tiens pas à ce qu'elle débarque dans ton loft…

— Oh, Seigneur ! Mon agenda électronique. J'avais complètement oublié.

— Oublié ? Cette fille te lamine le cerveau, ce n'est pas possible !

— Elle l'a ouvert ?

— Comment veux-tu que je le sache, frérot ?

— Elle avait l'air contrarié ?

— Non. Elle tenait surtout à te le rendre. Mais à ta place, je me grouillerais !

Mac raconta à Sherry qu'il avait un rendez-vous à l'extérieur et qu'il ne repasserait pas au bureau.

Arrivé chez Tyler, il grimpa les marches quatre à quatre. A peine la porte refermée derrière lui, il se déshabilla, fourra son costume Armani sous le lit et se rua dans la salle de bains.

Il ouvrit tout grand la douche, se précipita dessous et, attrapant la bouteille de shampooing, il se frictionna les cheveux pour ôter le gel.

Il venait tout juste d'arrêter l'eau lorsqu'il entendit frapper à la porte. Il noua rapidement une serviette autour de sa taille et repassa dans la chambre.

— Une minute, j'arrive, cria-t-il.

Il se sécha à la hâte, enfila un pantalon de sport et un T-shirt Harley-Davidson qu'il trouva dans un tiroir de Tyler.

Lorsqu'il ouvrit la porte, Laurel était là, sur le seuil, vêtue d'un superbe tailleur-pantalon noir et d'un chemisier de soie ivoire. Elle était si belle qu'il en eut le souffle coupé.

— Bonjour, Mac, dit-elle d'une voix douce.

Il s'écarta. Son regard avait le don de le bouleverser.

— Comment as-tu su où me trouver ?

— C'est Tyler qui m'a donné ton adresse. Mais ne lui en veux pas, j'ai dû insister, il n'était pas très chaud au départ !

— Je ne lui en veux pas.

Il sourit.

— Je suis ravi que tu sois là.

Mac aurait seulement préféré que ce ne soit pas sous

une identité usurpée et dans un appartement qui n'était pas le sien.

Le remords l'assaillit de nouveau. Plus il s'enfonçait dans ce mensonge, plus il se disait qu'il risquait de perdre Laurel. Se montrerait-elle tolérante lorsqu'il lui avouerait la vérité ? Peut-être ferait-il mieux de la lui dire tout de suite.

— J'avoue que j'aurais pu attendre pour te rendre ton agenda, mais j'avais envie de te voir, dit-elle.

Elle sortit l'agenda de son sac et le lui tendit.

— Je voulais te remercier encore.

— Pour t'avoir aidée à appeler hier soir et…

Il n'eut pas le temps de terminer sa phrase. Déjà, elle posait ses lèvres sur les siennes et l'embrassait avec fougue.

— Non, pour m'avoir donné ce tuyau sur Coyle et Hamilton. J'ai obtenu un rendez-vous avec Natasha Gold, la directrice financière.

— Pour quand ?

— C'était cet après-midi, à 14 heures. Je suis passée au magasin de motos en sortant.

Mac poussa un soupir de soulagement. Il avait quitté les locaux de la Coyle et Hamilton à 13 heures. A une heure près, il tombait sur Laurel. Finalement, ce n'était peut-être pas une très bonne idée de lui avoir parlé de cette société. Raison de plus pour lui dire au plus vite qui il était. Il rassembla son courage. Dès qu'elle aurait fini de parler, il lui révélerait la vérité.

— Et elle m'a demandé de présenter mon projet à Kevin Coyle et Susan Hamilton dans deux semaines !

Brusquement, Mac changea d'avis. Il voulait la voir savourer sa victoire, ne pas risquer de la lui gâcher par ses révélations. Il pouvait attendre encore un peu. En revanche, à lui de faire attention lorsqu'il se rendrait à la Coyle et

Hamilton. Il ne voulait pas prendre le risque de se trouver nez à nez avec Laurel.

— Tu as des projets pour le dîner ? demanda-t-il.

— Je pensais grignoter quelque chose en vitesse et passer encore quelques coups de fil.

— Que dirais-tu de dîner ici ? Comme ça je pourrai t'aider pour les appels, comme hier…

Le dimanche matin, Laurel se prépara, impatiente de se rendre à Cranberry pour passer la journée dans son atelier. Elle ouvrait la porte d'un geste décidé lorsqu'elle se retrouva nez à nez avec un blouson de cuir.

— Parfait ! Tu portes la tenue idéale pour Central Park !

— Mac ? s'exclama Laurel.

— Tu attendais quelqu'un d'autre ?

— Pas du tout. Je sortais.

En fait, elle était ravie de le voir. Et tout excitée. Il était plus sexy que jamais en jean noir et T-shirt blanc, avec son éternel blouson de cuir. Il ne s'était pas rasé et la barbe naissante qui ombrait ses joues lui donnait l'air plus viril encore.

Adossé au chambranle de la porte, il lui souriait, superbe et troublant, avec dans le regard cette petite étincelle de provocation qui disait : alors, prête à me suivre ?

Certes, il n'y avait rien à attendre de cette aventure en termes d'avenir, mais pour ce qui était du présent, cet homme représentait tout ce dont elle avait envie. Alors, restait à en profiter et c'était exactement ce qu'elle avait l'intention de faire.

— Et où comptais-tu aller si je n'étais pas arrivé, Laurel ?

Elle faillit le lui dire, mais se ravisa. A quoi bon confier son secret à quelqu'un qui aurait disparu de sa vie dans un mois ou deux ?

— Faire des courses, monsieur le curieux !

Pour être tout à fait honnête, Laurel était un peu agacée de ne pas avoir eu de ses nouvelles. Certes, elle lui avait dit qu'elle n'était libre ni mercredi ni jeudi soir, mais il ne l'avait appelée ni vendredi ni samedi. Et à présent, il avait le toupet de débarquer chez elle.

— Bon, je vois que je tombe mal, dit-il, prenant un air de chien battu. Pas de Central Park, alors ?

Laurel ne put s'empêcher de sourire. Question charme, il savait y faire et sa mauvaise humeur fondit comme neige au soleil.

— Mes courses peuvent attendre, dit-elle.

Elle ferma sa porte à clé et le suivit.

— Je n'ai jamais véritablement pris le temps de me promener à Central Park. Ce sont souvent les New-Yorkais qui connaissent le moins leur parc. Et toi ?

— J'y allais souvent avec mes parents, mais il y a un moment que je n'y suis pas retourné. J'ai prévu une promenade à vélo, lança Mac, faisant vrombir le moteur de la Ducati.

— A vélo ? Décidément, la vie est pleine de surprises avec toi !

— Et cela te plaît ?

— Beaucoup.

Une demi-heure plus tard, Mac entraînait Laurel dans le parc. Le guide leur fournit à chacun un vélo et ils se mirent en route. La première halte fut pour Strawberry Fields, le mémorial dédié à John Lennon.

— Quel musicien ! dit Laurel. Enfant, je passais mon temps à écouter les Beatles. Mon père ne les supportait plus.

Mac rit.

— Moi, c'était Bruce Springsteen. Mais j'admirais Lennon, son indépendance, sa liberté de penser.

— Je suis tout à fait d'accord avec toi. Aujourd'hui, mon groupe préféré c'est Nine Inch Nails.

Mac leva un sourcil étonné.

— Du rock alternatif pour une jeune femme de bonne famille ?

— Mes parents n'ont jamais su que je les écoutais. Ils m'auraient confisqué mes CD, surtout ma mère.

— Eh bien !

Laurel eut un haussement d'épaules.

— J'ai reçu une éducation très stricte et très exigeante. Ça n'a pas donné un trop mauvais résultat.

— Je confirme, dit Mac en souriant.

La promenade les conduisit au Shakespeare Garden, puis à Belvedere Castle et enfin au Jacqueline Kennedy Reservoir.

Ils firent une halte et Laurel se rendit soudain compte de tout ce qu'elle avait révélé sur elle. Il était incroyablement facile de parler à Mac. Lui, cependant, restait sur la réserve. Ils appartenaient à deux mondes différents, certes, mais il y avait dans la personnalité de Mac des contradictions, des incongruités qui attisaient sa curiosité. Elle savait qu'elle n'aurait pas dû poser la question, mais elle ne put s'en empêcher.

— Cela t'arrive souvent de ne pas aller travailler ?

— Comment ça ?

— Tu n'étais pas à l'atelier, mardi, et pourtant tu m'avais dit que c'était un jour très chargé...

Elle vit Mac froncer les sourcils. Se serait-elle aventurée en terrain interdit ?

— Tu me surveilles, Laurel ?

— Non, tenta-t-elle de se justifier. Ça m'a surprise, c'est tout.

— Toi tu n'as jamais pris une journée à ton travail ?

— Non, jamais. Sauf en cas de maladie. Même si à y repenser, j'aurais peut-être dû, pour faire les magasins ou me promener !

— Tu es trop sérieuse, Laurel. Voilà pourquoi je suis certainement la meilleure chose qui te soit arrivée.

Laurel ne put s'empêcher de rire. Elle n'aurait pas dû se laisser influencer par Mac, elle si raisonnable. Mais il y avait chez cet homme quelque chose qui la poussait à transgresser les lois, à accepter toutes les tentations, un éclat dans ses yeux qui agissait sur elle comme un aimant.

— Et toi, tu ne prends pas ton travail au sérieux ? demanda-t-elle.

— Si. Mais Tyler me comprend et me laisse un grand espace de liberté. Ce n'est sans doute pas le cas dans le monde rigide de l'entreprise.

Malgré sa difficulté à comprendre que Mac puisse fuir ses responsabilités professionnelles, comme ça, sur un coup de tête, Laurel ne pouvait s'empêcher d'admirer son détachement, le peu de cas qu'il faisait de ce que l'on pensait de lui. Cette confiance qui émanait de lui, cette assurance étaient si communicatives qu'en le regardant, elle se sentit bien, tout à coup.

— J'ai beaucoup aimé cette journée, dit-elle.

— Elle n'est pas encore finie.

Le guide les appela et ils regagnèrent leur point de départ. Dès qu'ils eurent rendu leurs vélos, Mac prit Laurel par la main.

— Viens, il y a quelque chose que je veux te montrer.

Quelques instants plus tard, ils débouchaient devant un manège. Mac l'entraîna sur la plate-forme et l'aida à monter sur un cheval. Bientôt, le manège se mit en route et les chevaux commencèrent à monter et à descendre.

Quelle joie ! Cramponnée à la barre, Laurel se sentait littéralement grisée par le mouvement qui s'accélérait. Cheveux au vent, joues fouettées par l'air, elle riait.

Le ciel commençait à s'assombrir et les petites lumières multicolores s'allumèrent.

— Dernier tour ! lança le patron du manège.

— Viens, dit Mac.

Il s'installa sur le siège d'une nacelle et attira Laurel sur ses genoux. Elle referma les bras autour de son cou.

Son visage tout près du sien, elle le regarda et son cœur se mit à battre plus fort. Il y avait des moments comme celui-ci où son charme agissait si puissamment qu'elle en avait le souffle coupé. Des moments où elle se demandait qui se cachait derrière cette attitude désinvolte, sous ces vêtements de rebelle ? Elle avait l'impression qu'il existait un homme différent, un homme qu'elle pourrait aimer, sur lequel elle pourrait s'appuyer. Un homme avec lequel elle pourrait envisager une relation.

Mac la serra plus fort contre lui lorsque le manège se mit en marche. Tous, parents et enfants, étaient partis. Ils étaient seuls.

Refusant d'analyser les émotions contradictoires qui l'assaillaient, Laurel détourna son visage.

— Je suis là, dit Mac d'une voix douce.

Elle avala sa salive pour chasser l'émotion qui nouait sa gorge. Oh, ce regard bleu… Chaque fois, elle s'y noyait.

Mac se pencha doucement vers elle, ses lèvres toutes proches, attisant le désir qu'elle sentait monter en elle. Lorsqu'il les pressa contre les siennes, elle ne put retenir un gémissement de plaisir. Alors, refermant une main sur sa nuque, il prit sa bouche. Déjà, sa langue se mêlait à la sienne, caressante et possessive à la fois.

Laurel s'abandonna à son étreinte. La tête lui tournait, mais ce n'était pas à cause du manège. C'était le goût de Mac qui la grisait, les sensations délicieuses qu'il provoquait en elle qui l'enivraient.

Le tour fut trop bref. Laurel avait l'impression d'être sur un nuage. Ils regagnèrent la moto, main dans la main.

Mac lui tendit son casque.

— Que dirais-tu d'aller dîner ? proposa-t-il, avec ce sourire qui la faisait chavirer.

Laurel ne pouvait croire qu'ils ne se connaissaient que depuis une semaine à peine. Mac venait de lui offrir un long moment d'insouciance et de plaisir après une semaine de travail et de soucis, une escapade qui séduisait en elle la femme fantaisiste et non conformiste dont elle ne soupçonnait même pas l'existence avant de le rencontrer.

Elle sourit, tout exaltée.

— J'ai une faim de loup !

— Je connais un endroit qui va te plaire. Mais d'abord, j'ai quelque chose pour toi.

Mac ouvrit le coffre à l'arrière de la moto et en sortit un blouson de cuir. Laurel poussa un cri, ravie.

— Tu n'aurais pas dû, Mac, mais... il est superbe !

Mac rit de la voir si heureuse.

— Visiblement, j'ai fait le bon choix.

Il enfourcha la moto et elle grimpa derrière lui. Lorsqu'il mit le contact, la Ducati prit vie. Laurel sentit le ronronnement du moteur se répercuter partout en elle, les vibrations monter le long de ses reins, titillant ses sens déjà excités.

Elle referma les bras autour de la taille de Mac et se cala contre son dos musclé et solide. Il passa la première et démarra.

Ils longèrent Broadway, les rues peuplées et les gratte-ciel de Manhattan, Times Square. La ville brillait de tous ses feux, splendide dans la nuit. Le vent caressait le visage de Laurel et elle vibrait, grisée par un sentiment de liberté qu'elle n'avait encore jamais éprouvé. Elle se serra plus fort contre Mac, heureuse.

Ils bifurquèrent bientôt dans une rue qui conduisait vers les quais et le quartier très branché de Hell's Kitchen où se trouvaient de nombreuses boutiques, galeries d'art et restaurants.

Mac gara la moto et l'aida à descendre. Laurel ôta son casque, secoua ses cheveux. Lorsque Mac fit de même, elle ne put résister à la tentation de glisser les doigts dans ses cheveux, de les ébouriffer. Il lui sourit, posa un baiser sur ses lèvres.

Laurel regarda autour d'elle.

— Il y a longtemps que je ne suis pas venue ici. Le quartier a beaucoup changé.

— J'y viens assez souvent. Il y a d'excellents restaurants et de nombreux festivals en été.

Il venait souvent ici, dans le quartier des théâtres ?

— Je ne t'imaginais pas fréquentant cet endroit, dit Laurel. Encore moins les festivals.

— Eh bien… comme je le disais… les restaurants sont excellents par ici.

Mac paraissait nerveux, brusquement.

— Tu as peur de tomber sur quelqu'un que tu connais, demanda-t-elle alors. Une femme ?

Il prit sa main et lui sourit.

— Pas le moins du monde. C'est juste que c'est un peu stéréotypé, tu ne trouves pas, de penser que parce que je conduis et répare des motos, je ne connais rien d'autre…

— Tu as raison, pardonne-moi, j'ai été idiote.

Mac l'attira dans ses bras et posa un baiser fougueux sur ses lèvres, mais alors qu'elle se délectait de le sentir contre elle, si proche, elle entendit quelqu'un la héler derrière elle.

— Laurel ? C'est vous, ma chère ?

Laurel se figea en entendant la voix de Mme Foster. Elle se tourna vers la vieille dame, s'efforça de sourire.

— Madame Foster, comment allez-vous ?

— Très bien. Merci de votre appel. Vous ne pouviez choisir endroit plus approprié pour la vente. Votre mère était une femme délicieuse, vous devez être fière de son œuvre. Vous lui ressemblez, je suis certaine que vous êtes appelée à faire de grandes choses, également.

Laurel sentit son estomac se nouer. Elle avait les mains moites. Elle remercia Mme Foster et se tourna vers Mac.

— Laisse-moi te présenter Mme Foster, une grande mécène.

Mac tendit la main à la vieille dame.

— Je suis ravi de faire votre connaissance.

— Je suis certaine que vous avez à faire tous les deux, dit Mme Foster. Nous nous verrons à la vente.

Laurel la regarda s'éloigner.

— Ça va ? demanda Mac.

— Oui.

— Ça n'a pas l'air.

— Si, tout va bien ! rétorqua Laurel d'un ton sec.

Mac marqua un temps d'arrêt. C'était étrange cette réaction qu'elle avait chaque fois qu'elle croisait quelqu'un qui avait connu sa mère. C'était sans doute dû au fait que la commémoration approchait. S'entendre vanter les mérites de sa mère ne faisait qu'attiser son chagrin.

Il glissa un bras autour des épaules de Laurel.

— Où as-tu envie d'aller dîner ?

Ils choisirent un restaurant italien très branché et s'installèrent dans un petit coin. Après que le serveur leur eut apporté des champignons farcis pour l'apéritif, Mac leva son verre de vin en direction de Laurel.

— A toi, dit-il, et à tes secrets.

Tout en levant son verre, elle le regarda d'un air étonné.

— Comment ça, mes secrets ?

— Eh bien, les meubles de ta chambre, par exemple. Tu les réserves tous à cette pièce, c'est curieux, non ?

Laurel but une gorgée et, saisissant le dernier champignon, elle l'approcha des lèvres de Mac. Elles étaient chaudes et douces lorsqu'il le croqua et un délicieux frisson la parcourut au contact de la pointe de sa langue humide contre ses doigts.

— J'aime ce type de meubles, voilà tout...

— Je m'en doute, mais pourquoi les as-tu tous mis dans ta chambre, alors qu'ailleurs le mobilier est très différent ? poursuivit Mac.

— Tu t'approches dangereusement de mon secret, Mac...

— Il serait bien gardé avec moi, mon ange, dit-il en lui caressant la main. Mais si tu préfères ne pas en parler, je comprendrai...

Quel homme étrange, déroutant, songea-t-elle, tandis que le serveur leur apportait leur plat. Mécanicien et fréquentant ce quartier. Qui plus est, un restaurant chic dont il avait à peine regardé la carte, sans même se soucier des prix... Mais l'heure n'était pas aux questions, décida-t-elle. Non, l'heure était à la bonne chère !

Quand ils eurent fini le tiramisu qu'ils avaient commandé pour dessert, Mac tendit sa carte bancaire pour régler l'addition, puis ils quittèrent le restaurant et marchèrent jusqu'à la moto.

— Et maintenant ? demanda Laurel.

Elle ne voulait pas partir du principe qu'il passerait la nuit avec elle, mais elle l'espérait.

— Après un repas aussi délicieux je ne vois qu'une seule chose à faire.

— Laquelle ?

Son regard bleu, hypnotique, plongea dans le sien.

— Poursuivre par de nouveaux délices...

Laurel sentit le désir monter au creux de ses reins.

— D'accord.

8.

Si vous deviez choisir un aphrodisiaque, ce serait :
a. du chocolat
b. du gingembre
c. du champagne
d. un cocktail exotique
Extrait du test de *Belle et Sexy* :
Quel type d'homme vous fait craquer ?

Ce que Laurel aimait chez Mac, c'était son côté imprévisible. Il ne l'emmena pas chez elle, mais directement chez lui.

Peu lui importait, de toute façon. Elle savait comment la nuit se terminerait. Par la réalisation d'un fantasme secret et la sensation merveilleuse d'être totalement comblée... Mac ne faisait pas les choses à moitié : il donnait autant de plaisir qu'il en recevait.

Laurel ferma les yeux. Le vrombissement du moteur de la Ducati entre ses cuisses l'électrisait, attisant le désir qui, déjà, assaillait son corps. Bientôt, la moto ralentit. Mac introduisit sa carte pour ouvrir la porte du parking, puis il gara la moto et coupa le contact.

Ils ôtèrent leurs casques, puis il prit Laurel par la main et l'entraîna vers l'ascenseur. Lorsque les portes se refermèrent sur le petit espace coupé du monde, elle plongea son regard dans le sien. Il brûlait d'un désir intense et elle sentit un long frisson parcourir son corps.

En sortant de l'ascenseur, elle le suivit dans le couloir. Cheveux sombres, blouson de cuir noir, il avait tout d'un ange déchu, un mystérieux hors-la-loi, envoûtant et dangereux...

Elle se sentit nerveuse, brusquement. Pourquoi donc ? se demanda-t-elle. Ne savait-elle pas très exactement ce qu'elle voulait faire ? Lorsqu'ils pénétrèrent dans l'appartement, elle le prit par la main, l'emmena directement vers la chambre.

Inutile d'allumer, les lumières de la ville suffisaient à éclairer la pièce. Elle sortit de son sac deux bougies qu'elle posa sur la table de chevet. Bientôt, une délicieuse odeur de vanille et de jasmin se répandit dans l'air. Avec une lenteur délibérée, Laurel ôta son blouson de cuir, puis, un à un, elle dégrafa les boutons de son chemisier et le laissa glisser le long de ses épaules. Mac ne perdait pas un de ses gestes, le regard brûlant de désir.

— Déshabille-toi, dit-elle. Je veux te voir.

Il ôta son T-shirt, faisant jouer les muscles souples de son torse, de ses épaules. Lorsqu'il commença à dégrafer son jean, Laurel fit de même avec le sien et leurs regards rivés l'un à l'autre, ils achevèrent de se déshabiller. De seconde en seconde, leurs cœurs battaient plus vite, leur respiration se faisait plus courte tant le désir, la tension montaient.

Lorsqu'ils furent nus, Laurel sortit un minuteur de son sac.

— Pour plus tard, dit-elle, devant le regard interrogateur de Mac.

Elle s'approcha du lit, saisit l'une des bougies, puis prenant

Mac par la main, elle l'entraîna dans la salle de bains. Elle posa la bougie sur le lavabo, monta dans la baignoire.

— Viens, dit-elle.

Il la rejoignit et elle s'assit.

— Assieds-toi, et cale tes épaules contre mes genoux. Renverse la tête en arrière.

Il s'exécuta.

Elle ouvrit l'eau, régla la température. Puis elle mouilla les cheveux de Mac, passant doucement les doigts dans les mèches douces et souples, savourant leur contact entre ses doigts.

Mac poussa un soupir de plaisir et ferma les yeux.

Elle prit un peu de shampooing, le répartit sur ses cheveux, puis, lentement, elle le fit pénétrer et, du bout des doigts, se mit à le masser. Les tempes, le dessus du crâne, la nuque... c'était délicieux, presque hypnotique.

Laurel voyait le torse de Mac se soulever au rythme de sa respiration, son pouls battre au creux de son cou. Elle se pencha, l'embrassa, laissa ses lèvres courir sur sa peau. Il poussa un grognement et elle sentit vibrer sa gorge. Doucement, elle suivit la ligne de sa mâchoire, effleura sa bouche, posa un baiser à chaque coin.

Elle se redressa alors et rinça le shampooing. Puis, prenant un peu de crème démêlante dans ses mains, elle l'appliqua, fit glisser doucement le peigne dans ses cheveux.

— Ils sont indomptables.

— Ils l'ont toujours été, même lorsque j'étais enfant.

— J'ai déjà entendu le qualificatif d'indomptable à ton sujet. Et Tyler a parlé également de quelqu'un qui attirait les filles comme un aimant et qui était une forte tête...

— Attirer les filles comme un aimant, je ne sais pas. Mais pour ce qui est de la tête, c'est toi qui me la fais perdre, Laurel.

— Tu fais tout, pourtant, pour paraître parfaitement maître de toi.

Elle emprisonna son visage entre ses mains, caressa ses joues déjà rugueuses de barbe. Il croisa son regard et sourit. Mon Dieu, cet homme était irrésistible. Elle pourrait se perdre à jamais dans le bleu de ses yeux. Et quelle journée merveilleuse il lui avait fait passer. Toutes ces attentions pour elle… L'émotion souleva soudain sa poitrine.

— Laurel, murmura-t-il.

Il l'attira vers lui. Ses lèvres se posèrent sur les siennes et il prit sa bouche en un baiser intense, profond. Elle y répondit aussitôt avec fougue, le corps parcouru de frissons. C'était elle qui allait perdre la tête si elle continuait.

Doucement, elle s'écarta. A travers la buée qui emplissait la salle de bains, leurs regards se croisèrent.

— Vous me distrayez de mon propos, monsieur Hayes.

— Cela te déplaît ?

— J'ai décidé d'un plan pour te séduire. J'aimerais aller jusqu'au bout.

— Parfait. Qu'as-tu prévu ensuite ?

— Une douche…

Ils se levèrent. Laurel vérifia la température de l'eau.

— Une douche à la bougie, s'étonna Mac.

— Oui, absolument. Il s'agit de sentir plus que de voir.

Et Laurel commença l'exploration. Ses doigts effleurèrent sa peau mouillée, caressèrent son cou, ses épaules, les muscles chauds et souples de son torse, ses biceps. Hum… son corps était merveilleusement doux, ferme exactement où il fallait, et elle se sentait chavirer, enivrée par sa virilité, tout entière parcourue de sensations délicieuses.

Elle saisit le gel douche, en fit couler dans ses mains et se mit à le savonner, à le masser doucement, prenant tout son temps, savourant chaque geste. Avec des gestes lents, elle descendit le long de son corps, jusqu'à son ventre plat, effleurant l'extrémité de son sexe au passage, pour remonter de nouveau vers son torse, ses épaules, son cou.

Il poussa un grognement de plaisir et s'avança, vint presser son sexe en érection contre elle. Elle ferma un instant les yeux, le corps assailli d'un désir fulgurant.

Elle le fit tourner sous l'eau pour lui savonner le dos. Les mains posées à plat sur le mur, il s'y appuya pendant qu'elle le massait, ses doigts faisant merveille le long de sa colonne vertébrale. Elle descendit progressivement, caressa ses reins, ses fesses. Mac se tendait sous ses doigts, tous les sens en alerte.

Bientôt, elle le fit tourner de nouveau et le rinça.

— A mon tour, murmura-t-il, s'emparant du gel douche.

Il la fit se tourner et commença par le dos. Ses mains chaudes et fermes l'effleurèrent d'abord, faisant naître partout la chair de poule sur sa peau. Elle ferma les yeux lorsqu'il se mit à masser ses épaules. Puis elle suivit mentalement le trajet de ses doigts le long de son dos, jusqu'à ses reins, ses fesses qu'il prit à pleines mains, les palpant, les massant avec fermeté et douceur à la fois. C'était merveilleux.

Elle avait renversé la tête en arrière, tout aux sensations qui envahissaient son corps. Mais ce n'était rien encore. Il glissa un pied entre les siens pour qu'elle écarte les jambes et elle sentit soudain ses doigts effleurer les lèvres de son sexe, les ouvrir doucement avant de se retirer. Elle se cambra. Oh... jamais elle n'avait connu pareil délice.

Il réajusta le pommeau de la douche afin que l'eau ruisselle sur son dos en une pluie chaude et douce et il la rinça, chassant doucement le savon de ses paumes.

Il se pencha alors et le souffle lui manqua soudain lorsque ses lèvres effleurèrent sa nuque, son cou, lorsque de la pointe de la langue il y lécha les gouttes d'eau. Son souffle chaud balayait sa peau et elle sentit ses seins se tendre, leurs pointes durcir soudain, réclamant la caresse de ses mains, de sa bouche.

Soudain, il glissa un bras autour de sa taille et la plaqua contre lui. Son sexe dur plongea entre ses cuisses tandis qu'il mordait doucement sa nuque. D'instinct, elle se cambra, s'offrant à lui, mais il s'écarta, referma les mains sur ses seins et en pressa la pointe durcie. Ce fut comme si une décharge électrique traversait le corps de Laurel. Elle se cambra de nouveau, pressant ses fesses contre lui.

Avant qu'elle ait eu le temps de se rendre compte de quoi que ce soit, il glissait une main entre ses jambes, plongeait un doigt dans sa chair. Un long frison parcourut Laurel. Elle perdait pied. Et soudain, il pressa son clitoris. Une seule fois, très vite.

— Tu parlais de séduction ? murmura-t-il à son oreille.

Mon Dieu, que faisait-elle ? Et son plan ? Son corps tout entier ne réclamait que lui, qu'il la pénètre, qu'il la fasse sienne, là, tout de suite, qu'elle sente son sexe bandé prendre possession de sa chair. Mais elle résista et saisissant sa main, elle mit fin à cet assaut grisant.

— Non, pas tout de suite.

Il la fit doucement pivoter vers lui et l'eau ruissela sur ses épaules, ses seins, ses hanches. Tout à coup, elle se sentit extrêmement vulnérable. Une vulnérabilité qui n'avait rien à voir avec le fait d'être nue. Physiquement, elle était tout à lui. Non, c'étaient les émotions qui l'envahissaient qui la faisaient se sentir si exposée, si fragile soudain, face à lui.

Mac sentit aussitôt le changement.

— Ça va ? murmura-t-il, écartant de sa joue une mèche de cheveux.

La douceur, l'attention qu'il lui portait eurent raison de ses défenses.

— Je... je ne m'attendais pas à... à me sentir aussi bien.

Un doigt glissé sous son menton, il leva son visage vers le sien, l'obligea à croiser son regard. Ce qu'elle y lut la bouleversa.

— Moi non plus, dit-il. Peut-être ne sommes-nous pas faits pour une aventure d'une nuit.

— Avec toi, je crains que non, laissa échapper Laurel d'une voix tremblante.

Il ne répondit rien. Il la regarda. Puis, refermant une main sur sa nuque, il l'attira vers lui et l'embrassa. Un long baiser très doux, comme si ce contact physique était la seule façon qu'il connaissait de la rassurer.

Et ce fut efficace, car elle oublia tout, soudain, hormis les sensations merveilleuses que cet homme faisait naître en elle. Elle s'abandonna à lui, à son baiser enivrant.

Son cœur cognait comme un fou dans sa poitrine. La vapeur de la douche les enveloppait, sensation infiniment érotique tandis que le souffle de plus en plus rauque, il prenait sa bouche avec fougue, avec une avidité grandissante. Soudain, il la plaqua contre le mur carrelé et chaud, son corps musclé pressé contre le sien. Ses mains fermes et chaudes empoignèrent ses hanches, ses fesses, et il la souleva contre lui. Son pénis dur, tendu, s'insinua entre ses cuisses, vint glisser, doux comme de la soie, contre les lèvres humides de son sexe.

Un frisson délicieux courut dans tout son corps et elle se cramponna à ses épaules, son besoin de lui si intense qu'elle faillit céder, le laisser la pénétrer, calmer enfin le désir presque douloureux qui étreignait ses reins. Mais elle parvint à arracher ses lèvres aux siennes.

— Viens, dit-elle dans un souffle. Laisse-moi faire…

Ils sortirent de la baignoire, se séchèrent rapidement et regagnèrent la chambre.

— Allonge-toi sur le dos, ordonna-t-elle. J'ai un petit jeu à te proposer. Je règle le minuteur sur quinze minutes. A toi de me donner du plaisir, de me faire atteindre le septième ciel… mais pas trop vite.

Elle posa le minuteur sur la table de chevet, s'approcha de lui. Puis, écartant les jambes, elle vint chevaucher ses épaules. Alors toute pensée s'envola, toute raison, balayées par le flot de sensations qui l'assaillit lorsque sa langue effleura la chair tendre, si douce, à l'intérieur de ses cuisses. Soudain, elle sentit la pointe de sa langue presser doucement les lèvres déjà gonflées de son sexe, les écarter, se frayer un passage. Elle se cambra, un désir fulgurant embrasant ses reins. Alors, il la saisit par les hanches et l'amena tout contre sa bouche. Il la caressa, la pénétra, la suça, refermant ses lèvres sur elle dans le baiser le plus intime qui soit. Elle écartait sans retenue les cuisses, les doigts enfouis dans ses cheveux, pressant follement sa tête contre elle tandis qu'il léchait son sexe doux et humide, savourait sa chair, s'enivrait de son goût. Elle gémit et il intensifia sa caresse, plongeant plus profondément sa langue en elle, la poussant vers le plaisir, pour mieux se retirer l'instant d'après.

Elle bougeait, cambrait les reins, impatiente, mais elle avait voulu jouer et il la ferait attendre. Du bout de la langue, il chercha son clitoris, le caressa, le pressa avec insistance et lorsqu'il le mordilla soudain, délicatement, du bout des dents, elle ne put retenir un cri.

— Hum… oui… oh, oui…, dit-elle dans un souffle, les jambes tremblantes.

Mais au moment où son corps se tendait, elle s'écarta, se retourna, reins cambrés, s'offrant de nouveau à lui.

Il saisit ses fesses à pleines mains, les pressa sous ses paumes. Puis, glissant une main entre ses jambes, il plongea deux doigts en elle. Elle tressaillit sous l'assaut. Sa chair palpitait, chaude et douce. Il sentait sa sève sur ses doigts, les muscles de son sexe se contracter autour de lui.

Alors, n'y tenant plus, il l'attira de nouveau sur lui et la prit avec sa bouche, sa langue plantée en elle, pointue et dure. Elle haletait, éperdue. Il resserra encore la pression de ses mains sur ses hanches et la retint fermement contre lui, accentuant les mouvements de ses lèvres, de sa langue, s'abreuvant éperdument de sa sève.

Il voulait la faire jouir, maintenant. Il laissa un doigt glisser lentement entre ses fesses, puis il remonta, recommença. Soudain, elle se tendit, arc-boutée, la tête renversée en arrière tandis qu'il pressait intensément son clitoris du bout de sa langue dressée et elle jouit violemment, les spasmes de son plaisir se répercutant dans sa bouche tandis qu'un cri rauque montait de sa gorge au moment même où le minuteur sonnait.

Il fallut un petit moment à Laurel pour reprendre son souffle et ses esprits. Elle se sentait le corps tout alangui d'avoir joui aussi intensément, mais elle tenait à poursuivre son plan...

Son regard sombre, intense, brûlait de désir lorsqu'elle se retourna vers lui. Elle sourit, s'empara du minuteur et le régla.

— Je ne durerai jamais aussi longtemps, murmura-t-il.

— Nous verrons...

Elle se pencha. Ses cheveux effleurèrent son ventre, ses cuisses tandis que ses lèvres se lançaient à la découverte de son corps, glissaient doucement sur sa peau. Elle embrassa son nombril, traça, du bout de la langue, un chemin le long de son ventre, jusqu'à son sexe. Il se dressait, gonflé, palpitant. Elle le prit dans une main et se mit à le caresser en rythme tandis que, de l'autre, elle effleurait son gland du bout des doigts, le pressait doucement, l'agaçait.

Il haletait, le corps parcouru de frissons délicieux. Elle se pencha, se mit à l'effleurer de ses lèvres avant de faire rouler sa langue autour de son gland, de le mordiller avec une infinie douceur qui embrasa aussitôt son corps. Il se cambra violemment sur le lit.

Elle laissa alors ses lèvres glisser le long de son sexe, puis, tout doucement, elle se mit à le mordiller. Elle l'entendit gémir tandis qu'elle poussait l'excitation toujours plus loin. Entrouvrant ses lèvres, elle pressa son gland, mimant une résistance. Une fois, deux fois. Puis, soudain, elle le prit tout en elle, de toute sa longueur, l'engloutit profondément dans l'intimité de sa bouche.

Il haletait tandis qu'elle le suçait doucement, se retirant pour mieux l'avaler l'instant suivant, faisant jouer sa langue autour de son gland à chaque passage. Il avait fermé les yeux et s'abandonnait à cette délicieuse torture.

Soudain, elle accéléra le rythme, le prenant totalement au dépourvu. Elle se mit à l'aspirer avidement, vite, de plus en plus vite, avec une telle frénésie qu'il se sentait perdre tout contrôle. Elle voulait qu'il jouisse, maintenant. Ses lèvres, sa langue le pressaient, le palpaient et il plongeait, englouti par un flot de sensations inouïes. Il avait enfoui les doigts dans ses cheveux. Elle les sentit soudain se crisper tandis que son corps tout entier se tendait et il explosa, libérant sa semence, le corps secoué par l'orgasme.

Le minuteur était encore loin de sonner.

*
* *

Mac était assis à la table de la cuisine, le *Wall Street Journal* ouvert devant lui, mais aucune information ne parvenait à retenir son attention.

Il songeait à Laurel, endormie dans le lit de son frère, dans l'appartement de son frère. C'était insensé. Ce qu'il avait vécu avec Laurel était si fort qu'il en était encore bouleversé et il avait eu beaucoup de mal à quitter la douceur de ses bras, de son corps. Mais il ne pouvait dormir avec elle tant sa conscience le taraudait. Il devait lui avouer qui il était. Ce mensonge n'avait que trop duré.

S'il avait fait tout cela, c'était pour la connaître, pour qu'elle apprenne à le connaître. Mais qui connaissait-elle, au bout du compte ? Quelqu'un qui n'était pas lui. Et plus le temps passait, plus il s'enfonçait dans cette situation inextricable. Elle lui faisait confiance et il lui mentait.

Quant à la règle d'or du rebelle, rester maître du jeu, ne pas s'impliquer, il y avait longtemps qu'il l'avait rompue. Avec Laurel, il était incapable de garder ses distances. Il avait envie d'elle dans sa vie. Il ne voulait pas se contenter d'une brève aventure comme elle semblait en avoir envie.

— J'espère que c'est bien l'odeur du café que je sens !

Il leva la tête en entendant la voix un peu rauque, encore ensommeillée de Laurel. Son corps réagit aussitôt lorsqu'il l'aperçut, si jolie, si désirable, dans la chemise qu'elle lui avait empruntée, les joues toutes roses.

— Je viens de le faire. Tu en veux ?

— Oh oui.

Elle s'avança vers lui, glissa les doigts dans ses cheveux ébouriffés, l'air soudain préoccupé.

— Quelle heure est-il ?

— 6 h 30. Ça laisse tout le temps de te ramener chez toi et de t'accompagner à ton travail ensuite, dit Mac en glissant un bras autour de sa taille, avant de se pencher pour l'embrasser.

Elle posa les mains sur son torse, caressa sa peau nue. Hum… il avait envie d'elle. Elle se serra contre lui avec un gémissement de plaisir et il sentit ses seins fermes et ronds presser délicieusement son torse.

Il s'écarta, résistant au désir fou qui l'assaillait. Du pouce, il caressa ses lèvres.

— J'ai quelque chose à te dire.

Il hésita. Il avait peur. Une fois que les mots auraient franchi ses lèvres, il ne contrôlerait plus rien. Comment réagirait-elle ? Il ne voulait pas lui faire de mal. L'émotion était si forte que son cœur battait à tout rompre.

Laurel le regardait. Sentait-elle combien il était mal à l'aise ? Elle s'approcha de la table, versa un peu de sucre dans son café. Ce fut alors qu'elle aperçut le journal. Elle jeta à Mac un regard étonné.

— Tu lis le *Wall Street Journal* ?

— Pour les articles, seulement, plaisanta-t-il.

Mais Laurel demeura très sérieuse.

— Mon Dieu, mais qui ça intéresse, à part les gens qui travaillent dans la finance ?

Voilà, c'était l'occasion. Le moment de lui dire qui il était. Il ouvrit la bouche mais elle le devança.

— Je ne me verrais pas du tout avec un financier ! lança-t-elle avant qu'il ait pu dire un seul mot.

Puis elle but une gorgée de café, loin de se douter du coup qu'elle venait de porter.

— Ils sont guindés, uniquement soucieux des apparences et de leur statut social. C'est un monde déshumanisé, celui dans lequel vit mon père. Voilà pourquoi je me suis juré de ne jamais sortir avec un homme qui travaillerait pour lui.

Mac sentit son estomac se nouer. Il ravala les mots qu'il

avait sur les lèvres. En se taisant, il conservait une chance de prouver qu'il était différent. Il gagnait encore un peu de temps. Un temps qui s'amenuisait.

— Mais je t'ai interrompu, dit Laurel. Tu voulais dire quelque chose ?

Avec lenteur, Mac sortit de sa poche les deux billets pour le concert de Nine Inch Nails que Tyler lui avait procurés.

Laurel les fixa, éberluée. Il s'en était souvenu ! Elle lui sauta au cou, planta sur ses lèvres un baiser à le faire tomber à la renverse.

— Mac ! Comment as-tu réussi à en avoir ? s'exclama-t-elle.

— Mon frère a des relations.

Elle glissa les doigts dans ses cheveux, les ébouriffa tandis qu'elle pressait follement ses lèvres. Mac réagit aussitôt. Plongeant sa langue dans sa bouche, il la plaqua contre lui. Elle eut un petit gémissement et referma les bras autour de son cou.

Seigneur. Mac se sentit perdre pied. Son cœur battait à tout rompre. Il souda sa bouche à la sienne en un baiser à couper le souffle, le corps en feu. Jamais il ne parviendrait jusqu'à la chambre.

Laurel bougea contre lui et il poussa un grognement. Fou de désir, il la souleva, la plaqua contre le comptoir de la cuisine. Lorsqu'elle referma les jambes autour de sa taille et cambra les reins à sa rencontre, il se sentit perdre tout contrôle.

Il la voulait là, maintenant, sur le comptoir. Il dégrafa à la hâte son pantalon. C'était un fantasme qu'il n'avait encore jamais eu…

9.

Où préféreriez-vous qu'il habite ?
a. en banlieue
b. dans un appartement
c. à la belle étoile
d. dans un loft
Extrait du test de *Belle et Sexy :*
Quel type d'homme vous fait craquer ?

Laurel arriva au bureau avec quelques minutes de retard. Son petit tour dans les bras de Mac avait été bref, mais depuis elle flottait, sur un petit nuage.

Lorsqu'elle passa devant le bureau de Mark, il regarda sa montre avec ostentation. Bien qu'elle l'ait vertement réprimandé, il n'avait pas changé d'attitude et elle commençait à en avoir plus qu'assez.

Elle n'allait pas le laisser gâcher le merveilleux dimanche qu'elle venait de passer ! Même si, à un moment, elle avait eu peur. Mac avait voulu lui dire quelque chose et elle avait craint qu'il ne lui annonce une rupture. Puis il lui avait fait cadeau des billets de concert. Quant à la suite…

Elle s'installa à son bureau, jeta un bref coup d'œil à ses messages, encore toute bouleversée par le souvenir des mains de Mac, de sa bouche sur son corps.

Un coup frappé à la porte la ramena brusquement à la réalité. C'était Mark Dalton. Il lui tendit une liasse de feuilles. Son sang se glaça lorsqu'elle reconnut le plan de sa présentation pour Coyle et Hamilton.

Elle se leva d'un bond.

— Que faites-vous avec ça ?

— Votre assistante les a oubliées à la photocopieuse. Ainsi, vous vous attaquez à Coyle et Hamilton ? C'est ambitieux, ajouta-t-il d'un ton sarcastique, laissant entendre qu'elle n'avait pas la moindre chance de réussir.

Laurel contourna le bureau. Elle le toisa d'un regard glacial et lui arracha les feuilles des mains.

— Vous n'avez pas de travail ? Si c'est le cas, je serai ravie de vous en donner, lança-t-elle, la mâchoire serrée.

— Laurel, vous avez un instant ?

M. Herman se tenait dans l'encadrement de la porte. Il venait d'être le témoin de l'échange entre eux. Mark quitta le bureau, tout à fait à l'aise.

— Je vous en prie, dit Laurel, faisant signe à M. Herman d'entrer.

— Mark m'a dit, ce matin, que vous prépariez une présentation chez Coyle et Hamilton.

Le fourbe !

— C'est exact. J'ai rendez-vous en début de semaine.

— Je crois que ce serait une bonne idée de laisser Mark vous aider, voire même prendre le relais.

Le sang de Laurel ne fit qu'un tour.

— Pour quelle raison ?

— Laurel, nous savons tous les deux que Mark possède davantage d'expérience.

Elle fit tout son possible pour conserver son calme, pour ne pas se laisser aller à la colère qui l'envahissait.

— C'est possible, mais il me semble que je vous ai déjà

amené suffisamment de clients pour vous prouver que moi aussi, j'étais compétente ! Et comme c'est moi qui ai commencé le travail avec le dossier Coyle et Hamilton, ajouta-t-elle d'un ton ferme, j'ai bien l'intention de mener les négociations à terme !

— Votre attitude frôle l'insubordination, Laurel ! s'emporta son supérieur.

— Ah oui ? C'est étonnant, monsieur Herman, parce que vous venez justement d'être le témoin de l'insubordination de Mark à mon égard, et cela ne vous a pas posé le moindre problème !

Elle le vit blêmir, et se félicita de l'audace qu'elle avait eue.

— Laurel, reprit-il d'une voix tendue, je vous encourage vivement à reconsidérer la question Coyle et Hamilton.

— Non, insista-t-elle. C'est moi qui ai pris contact et mon dossier est très solide.

— Voyons cela, dit M. Herman d'un ton impatient.

Laurel lui tendit son projet à regret. Il prit tout le temps de l'examiner puis leva les yeux vers elle.

— Je dois admettre que ce que vous proposez est extrêmement novateur, je dirai même brillant.

Elle ne put s'empêcher de savourer cette petite victoire.

— Cela signifie-t-il que j'ai votre aval pour poursuivre ?

— Oui, affirma-t-il comme à regret. Tenez-moi au courant.

Il s'apprêtait à quitter le bureau lorsque Laurel l'arrêta.

— Monsieur Herman ?

— Oui ?

— Si vous considérez que Mark possède davantage d'expérience que moi, pourquoi m'avoir promue et pas lui ?

Il se retourna et lui lança un regard étrange avant de répondre.

— Ce n'est pas moi qui ai décidé.

— Pardon ? demanda-t-elle, stupéfaite.

— Le choix m'a été imposé.

— Mais par qui ?

— M. Scott, répondit M. Herman avant de quitter le bureau.

Laurel demeura figée sur place, abasourdie. M. Scott ? Il ne la connaissait même pas. Comment avait-il pu insister pour qu'elle soit promue ? Cela n'avait aucun sens.

Avant que Laurel ait eu le temps de pousser plus loin la réflexion, le téléphone se mit à sonner.

— Coucou ! Comment va ma belle-sœur préférée ?

— Tu n'en as qu'une, note bien…

— C'est pour cela que tu es ma préférée, répondit Haley en riant. Alors, comment ça se passe avec ton beau motard ?

— Figure-toi qu'il a trouvé des places pour Nine Inch Nails, au Madison Square Garden.

— Quel soir ?

— Mercredi.

— Ouf. Tu te souviens que la soirée *Belle et Sexy* est vendredi ?

— Tu fais bien de me le rappeler, j'avais complètement oublié ! Il faut dire que j'ai été plutôt occupée…

— Ça se comprend avec un homme comme lui. Mais, dis-moi, il te fait de jolis cadeaux, ton rebelle.

— Toi aussi, tu trouves ça étrange ? En fait, il est très attentionné pour un soi-disant baroudeur…

— Tant qu'il te traite avec respect, c'est ce qui compte, non ?

— Tout à fait.

— Bon, dis-moi plutôt ce que tu vas mettre pour le concert !

— La minijupe en dentelle noire que j'ai achetée la dernière fois qu'on a fait les magasins, tu te souviens ? Avec un haut rose vif.

— Si je me souviens ? Ça m'avait plutôt étonnée de ta part, toi si classique d'habitude !

Laurel eut un petit sourire.

— Eh bien, c'est à croire que mon rebelle déteint sur moi ! Et toi, comment ça va ? Que fais-tu en ce moment ?

— Ne m'en parle pas, je suis débordée ! On prépare le numéro de juin, le spécial mariage. Comment séduire le marié, les idées coquines pour la nuit de noces, ce genre de choses !

Laurel poussa un petit soupir.

— Si seulement mon métier pouvait être aussi intéressant que le tien !

— Oh, oh, je sens comme une note d'amertume dans ta voix. Ça ne va pas au travail ?

— Pas terrible, non…

— Et pourquoi ne changes-tu pas de job ?

— Que je laisse tomber un domaine auquel je me suis attelée pendant toutes ces années ?

— Tu sais, Laurel, tout le monde a ses rêves. Toi aussi, je le sais. Ils sont ce que nous avons de plus précieux au monde. J'ai réalisé les miens et avec Dylan en prime, réfléchis-y. Le changement, la prise de risques ne sont pas des situations confortables, mais le jeu en vaut la chandelle. Bien sûr, tout le monde n'est pas téméraire… Allez, nous en reparlerons !

Laurel demeura songeuse après avoir raccroché. Téméraire ? Elle ne l'était pas. Et laisser tomber un poste pour lequel elle avait tant travaillé n'était pas facile.

Ses pensées dérivèrent vers la 27e Rue et le magasin qu'elle avait aperçu en passant. Elle imaginait déjà ses créations exposées en vitrine, prêtes à être vendues. Haley avait dit que les rêves étaient précieux et elle avait raison. Mais aurait-elle la capacité à les faire devenir réalité ?

Plus elle y pensait, plus l'idée de créer sa propre entreprise lui paraissait envisageable. Cela signifierait faire exactement ce qu'elle aimait. Mais le risque était grand. D'abord, de voir ses revenus diminuer considérablement et peut-être de se ridiculiser si elle échouait. En fait, elle aimait la sécurité et elle était avant tout une femme prudente.

Elle fronça les sourcils. Prudente ? Pas tant que cela. Elle avait affronté Mark et M. Herman. Et d'ailleurs, il faudrait qu'elle parle à M. Scott le plus tôt possible. C'était prendre un risque, cela aussi, mais il fallait qu'elle trouve le courage de le faire…

Certes, elle portait un pantalon et un blouson de cuir, mais l'habit ne faisait pas le moine, et elle était encore loin de posséder la témérité de Mac. Sa vie connaissait de petits changements, sans doute dus à son influence, mais tout cela n'était que temporaire. Leur aventure terminée, elle retournerait à sa vie calme et rangée. Voilà…

Le Madison Square Garden était plein à craquer le mercredi soir, lorsque Laurel et Mac gagnèrent leurs places. Le concert se préparait. On réglait les éclairages et les micros.

Laurel était tout excitée. De grands noms de la chanson s'étaient produits ici : Frank Sinatra, Elton John et même Elvis Presley !

Ils atteignaient leurs places lorsqu'une jeune femme enceinte arriva, descendant avec difficulté les marches. Mac lui offrit son bras et l'aida à s'installer.

— Tu es vraiment un homme surprenant, dit Laurel lorsqu'il la rejoignit. Parfois, je me demande qui tu es, tu sais…

Un éclair de panique traversa le regard de Mac et pour la première fois, Laurel se demanda s'il ne lui cachait pas quelque chose.

— Tu sais, je suis un homme très ordinaire…

— Ça m'étonnerait ! Si tu l'étais autant que tu le dis, tu ne m'attirerais pas.

Mac saisit sa main, la porta à ses lèvres et en embrassa tendrement la paume. Laurel sourit.

— Les hommes ordinaires se soucient rarement de ce que nous sommes, de ce que nous voulons. Pas comme toi, ajouta-t-elle. Je me sens bien avec toi, Mac.

Un peu mal à l'aise, Mac plongea son regard dans le sien. Ils avaient passé des moments merveilleux ensemble et il ne regrettait pas d'avoir joué les motards rebelles pour attirer son attention, mais à présent, il avait envie d'autre chose. Il avait envie que cela dure. Mais comment le lui dire ?

— Et d'ailleurs, reprit-elle avec un grand sourire, je te dois une fière chandelle.

Mac lui lança un regard étonné.

— Tu sais, le compte Coyle et Hamilton : j'ai rendez-vous mardi matin !

Tout en la félicitant, il fit un rapide calcul dans sa tête. Il allait s'arranger pour ne pas être sur place à ce moment-là, et après son rendez-vous, et après la vente aux enchères, il lui avouerait tout.

Il redoutait sa réaction. Il ne s'agissait plus, désormais, d'une simple aventure sexuelle. Certes, ils s'entendaient merveilleusement sur ce plan-là et elle était disponible, ouverte à toutes les expériences, à tous les fantasmes. D'ailleurs, rien que d'y penser, il sentait son sexe durcir et se dresser.

Mais, de jour en jour, il devenait évident pour lui qu'être un amant de passage ne lui suffisait pas. Avec Laurel, il voulait bien davantage qu'une aventure à court terme.

Brusquement, la lumière baissa et le groupe qui assurait la première partie entra sur scène. Ils jouèrent une trentaine de minutes. Puis Nine Inch Nails prit le relais.

Ce fut une explosion de musique dans les haut-parleurs, comme un énorme cœur qui bat. Le rythme était prenant, envoûtant, même si Mac préférait de loin le rock de Springsteen. Il secoua la tête, amusé. Jamais il n'aurait cru Laurel Malone fan de rock alternatif.

Mais elle lui réservait certainement d'autres surprises encore et il savait qu'il ne se lasserait jamais de les découvrir.

— Ça te dit d'aller prendre un verre ? proposa Laurel lorsqu'ils sortirent. Je connais un café très sympa.

— Excellente idée.

Le Molly's Café n'avait pas beaucoup changé depuis que Laurel y était venue, la dernière fois. Les mêmes banquettes, le même bar chromé et ses tabourets hauts. Les rideaux, toutefois, avaient laissé la place à des stores à lamelles et l'orange vif du Skaï à un brun plus discret. Dommage. Elle préférait l'aspect années 50 au nouveau look branché.

Ils commandèrent chacun une bière.

— Je venais souvent ici avec Dylan, expliqua-t-elle, lorsque nous étions étudiants.

— Ton frère ?

— Oui. Il est marié à la rédactrice en chef de *Belle et Sexy*, Haley Lawton.

— *Belle et Sexy* ? Le magazine sulfureux ?

— Il contient aussi des articles très sérieux ! se défendit-elle.

— Mais je n'en doute pas un seul instant, rétorqua Mac en riant. « *Comment lui faire rendre les armes au lit* » ou « *Trouvez l'homme de votre vie* ».

Laurel rit à son tour.

— Parce que tu les lis ? Nouvelle surprise ! Quoiqu'à la réflexion, ajouta-t-elle d'une voix mutine, ton imagination au lit en soit assez digne…

— Et si c'est de là que tu tires certains de tes fantasmes, je ne peux que t'encourager à continuer de le lire, répondit-il sur le même ton.

— Promis ! Au fait, c'est toujours d'accord pour que tu m'accompagnes à la soirée *Quel type d'homme vous fait craquer ?*

— C'est vendredi, c'est ça ?

— Oui. Haley compte beaucoup sur nous. Et mardi prochain, si tu es là, il y a la vente aux enchères. Tu crois que tu pourras venir ?

Mac hésita. Peut-être se sentait-elle obligée de l'inviter ? Peut-être qu'au fond d'elle elle n'avait pas envie de le voir dans un monde qui n'était pas censé être le sien ?

— Je vais être obligé de porter un smoking ? demanda-t-il d'une voix exagérément inquiète.

Elle lui lança un petit sourire.

— Je suis sûre que tu dois être terriblement sexy dans un smoking…

— Dans ce cas, je vais faire un effort… Je vais emprunter celui de Ted.

— Génial !

Laurel but une gorgée de sa bière.

— Ted, c'est ton demi-frère ?

— Oui. Nous avons la même mère, mais des pères différents.

— Et tu es proche de ton père ?

Laurel le vit aussitôt se crisper.

— Désolée. Je ne voulais pas me montrer indiscrète.

— Non, dit-il avec un petit haussement d'épaules. C'est juste que tu sais comment c'est entre père et fils, ce n'est pas toujours… facile.

Laurel acquiesça d'un hochement de tête.

— En tout cas, ton frère a l'air de très bien s'en sortir ! D'après mon amie Sherry, c'est un homme très bien et qui a beaucoup d'humour, et elle adore travailler avec lui.

Mac croisa le regard de Laurel et elle sentit une étrange sensation envahir sa poitrine tant il avait l'air sérieux. Mais brusquement, il détourna les yeux, comme si quelque chose le gênait.

Il but une longue gorgée de bière.

— C'est un garçon bien, dit-il.

Laurel comprenait qu'il n'ait guère envie de parler de sa famille. Elle n'aimait pas tellement parler de la sienne non plus.

— Il y a longtemps que tu travailles pour Tyler ?

— Depuis qu'il a ouvert son magasin.

— Et tu n'as jamais pensé à faire autre chose ? Tu n'as pas des rêves enfouis, la volonté de réaliser un désir secret ?

Si elle savait ! songea-t-il en fuyant son regard.

— Non. Pas spécialement. J'aime ce que je fais. Parce que toi tu as un rêve secret ?

— Peut-être…

Elle hésita un instant, risqua un coup d'œil dans sa direction.

— En fait, j'aimerais te montrer quelque chose de très important pour moi, mais cela signifierait passer une nuit hors de New York. Tu es libre ce week-end ?

— Oui.

Mac se pencha, prit sa main dans la sienne et caressa

doucement ses doigts. Elle craignit tout à coup qu'il ne lui demande des détails. Or elle ne voulait rien lui dire, elle voulait qu'il voie.

— On pourrait partir samedi matin tôt, si cela te va ?

— Ça me va très bien, répondit-il avec un sourire en coin. Mais pour le moment, j'ai surtout envie de savoir où nous allons aller, tout de suite… Chez toi ou chez moi ?

— Pour dormir ?

— Qui a parlé de dormir ?

Laurel lui sourit. Le désir dans le regard de Mac se fit plus intense et elle sentit un long frisson parcourir son corps.

Ils quittèrent le café. Mac passerait chercher rapidement quelques affaires chez lui, puis ils iraient chez elle.

Mac n'avait pas voulu questionner Laurel au café. Elle avait envie de lui montrer quelque chose qui lui tenait à cœur et il en était profondément touché. Lorsqu'ils franchirent le seuil de sa chambre et s'approchèrent du lit, elle saisit le col de sa chemise et l'attira à elle. Ses lèvres effleurèrent doucement les siennes et sous leur pression chaude et délicieuse, il sentit son pouls s'emballer comme un fou.

Il entrouvrit les lèvres et approfondit leur baiser, tandis que les doigts de Laurel effleuraient son torse, cherchaient les boutons de sa chemise et les dégrafaient un à un. D'un geste preste, elle la fit glisser hors de son pantalon, avant de caresser sa peau nue. Du pouce, elle pressa les petits boutons durcis de ses tétons, et Mac sursauta, le corps traversé d'un éclair fulgurant tandis qu'elle les faisait rouler sous ses doigts.

Un désir fou s'était emparé de lui. Il n'avait plus qu'une envie, la prendre, là, tout de suite, mais ses caresses étaient si troublantes, si excitantes qu'il ne pouvait les interrompre.

Alors, les muscles tendus, il s'abandonna à la délicieuse torture de ses mains, de ses lèvres et de sa langue prenant possession de sa bouche. Et tandis qu'elle mordillait sa lèvre, elle effleura d'un doigt le renflement de sa braguette, suivit le trajet de son sexe bandé sous le cuir du pantalon et l'effet combiné de ses caresses fut si intense qu'il faillit perdre tout contrôle.

Sa respiration s'était faite saccadée, rauque, et il dut faire appel à toute sa volonté pour demeurer immobile, laisser les mains de Laurel, sa bouche, poursuivre leur envoûtante exploration. De nouveau, elle effleura son pénis, en caressa toute la longueur et il ne put retenir un grognement de plaisir.

Ses lèvres ardentes contre les siennes, il sentit qu'elle dégrafait la ceinture de son pantalon et qu'elle y glissait les doigts. L'intimité de ce contact l'électrisa tout entier et il aspira avec fougue sa langue dans sa bouche, pressant follement ses lèvres, tandis qu'elle libérait son sexe bandé et dur.

Incapable de résister un instant de plus, il la saisit par les épaules, la plaqua contre lui, prenant éperdument sa bouche, le corps envahi d'une chaleur intense tandis qu'elle caressait du pouce la pointe palpitante de son sexe dressé, gorgé de sève.

Il emprisonna son visage entre ses mains et la regarda, la respiration rauque, saccadée. Ses yeux sombres, brûlants de désir, sa bouche sensuelle, les lèvres gonflées par la fougue de leurs baisers, elle était la tentation faite femme, irrésistible et délicieuse, l'incarnation de ses fantasmes les plus fous. Il caressa sa joue du pouce. Son pouls battait frénétiquement dans le petit creux, à la base de son cou. Il avait envie d'elle nue sur lui, envie de la pénétrer, de s'enfoncer en elle si profondément qu'ils ne feraient plus qu'un, envie de jouir en elle, de libérer cette tension qui étreignait ses reins et maintenait son sexe bandé à l'extrême, presque douloureux.

Très vite, en quelques gestes, elle ôta ses vêtements et le poussa sur le lit. Il ferma les yeux. Elle se pencha, posa un baiser sur ses paupières closes et il essaya de l'attirer dans ses bras.

— Sois patient..., murmura-t-elle en s'arrachant à son étreinte.

Mac replia un bras sur ses yeux, s'efforçant de ne pas penser, de ne rien ressentir. Il était au point où une simple caresse, le plus petit effleurement ou la seule pensée de la pénétrer, de plonger en elle, pouvait le faire basculer.

Il retint son souffle lorsqu'elle prit bientôt son sexe palpitant dans sa main, l'effleura avec une infinie douceur. Elle plongea son regard dans le sien et, avec une lenteur calculée, intensifia sa caresse. Mac serra les dents, le corps parcouru de frissons. Elle referma alors une main sur ses testicules, les pressa doucement, faisant se dresser son sexe qu'elle continuait de caresser, imprimant un mouvement de va-et-vient de plus en plus intense.

Le cœur de Laurel battait à tout rompre. Mac se dressa sur un coude et l'attira vers lui. Elle résista. Humectant ses lèvres, elle le regarda, un instant encore, puis baissa les yeux.

Le souffle haletant, Mac la regarda dérouler un préservatif, centimètre par centimètre, sur sa verge dressée. Un désir fou enflammait son corps et il eut toutes les peines du monde à garder le contrôle, à la laisser faire. Mais à peine la protection en place, il la saisit dans ses bras, la renversa sous lui et lui écarta les cuisses. Il s'immobilisa un instant, son sexe pressé à l'entrée du sien, son gland contre sa chair humide et chaude, puis d'un seul coup de reins, il la pénétra, plongea de toute sa longueur en elle, laissant échapper un grognement rauque, le corps bouleversé par les sensations folles qui l'assaillaient. Il bascula dans un autre monde où plus rien n'existait que Laurel et lui, leurs corps soudés dans une étreinte frénétique et l'urgence de ce désir qui les étreignait.

Il fallut longtemps à Mac pour retrouver son souffle, redescendre des sommets où le plaisir l'avait conduit. Longtemps aussi pour desserrer l'étreinte de ses bras sur Laurel. Elle était déjà profondément endormie et il remonta le drap sur eux, ferma les yeux, la gorge nouée par l'émotion.

Il inspira pour se détendre, soulager la pression dans sa poitrine, ce trop-plein d'émotion qui ne cessait de croître à chacune de ses rencontres avec Laurel. En vain. C'était comme si elle lui offrait une petite part d'elle-même chaque fois qu'ils faisaient l'amour.

Et la nuit dernière, ils l'avaient fait, sauvagement, sans retenue. Mais ce soir, c'était différent, il le savait. Ce soir, ils s'étaient aimés au sens le plus fort du terme. Cette soudaine prise de conscience le laissa interdit, bouleversé, vulnérable tout à coup tandis qu'il s'efforçait de contenir les émotions qui se bousculaient en lui. Des émotions qu'il ne pouvait nier.

Il était question de son avenir. Laurel avait pris une place beaucoup trop importante dans sa vie pour qu'il puisse continuer à jouer son petit jeu, mais il allait devoir attendre que les échéances auxquelles elle devait faire face soient passées pour lui avouer toute la vérité.

La peur de la perdre était presque aussi forte que ces émotions incontrôlables auxquelles il refusait encore de donner un nom.

10.

Pour le séduire, quel jeu choisissez-vous ?

a. vous enrouler dans un drapeau et lui laisser le soin de venir vous y chercher

b. jouer au gendarme et au voleur pour qu'il puisse vous arrêter

c. vous faire tatouer dans un endroit très osé et le laisser trouver où

d. jouer les assistantes et lui montrer tout ce que vous savez faire au bureau

Extrait du test de *Belle et Sexy* :
Quel type d'homme vous fait craquer ?

Le vendredi, à l'heure du déjeuner, Laurel poussa la porte de la Malone Financial Services. Elle gagna le bureau de Sherry et sourit lorsque son amie leva la tête.

— Salut. Ça faisait un moment !

Elle posa la tasse de cappuccino devant Sherry et s'assit en face d'elle.

— Pour me faire pardonner de ne pas t'avoir appelée.

Ce n'était pas le genre de Laurel d'oublier ses amies parce qu'il y avait un homme dans sa vie.

— Alors, qu'est-ce qui t'occupe à ce point ? demanda Sherry.

— La vente aux enchères, et surtout… Mac, ajouta-t-elle en rougissant légèrement.

— Mac ? Oh, oh ! Et qui est ce « Mac » ?

— Promets-moi que tu ne te moqueras pas.

— Moi ?

— Oui, toi ! Bon, il y a quelque temps, j'ai fait le test de *Belle et Sexy, Quel type d'homme vous fait craquer ?*

Sherry but une gorgée de son cappuccino et poussa un soupir.

— Moi aussi. C'est lequel, le tien ?

— Le rebelle. Tu te souviens, la semaine dernière, lorsque nous sommes allées au magasin de motos pour acheter la moto de Michael ?

— Oui, bien sûr. Elle lui plaît beaucoup, d'ailleurs.

— Je me suis en quelque sorte… jetée au cou du mécano.

— Non ! Le type dans l'atelier ?

— Il s'appelle Mac et c'est le frère du patron.

Sherry fronça les sourcils.

— J'ignorais que Tyler et M. Tolliver avaient un autre frère qui travaillait au magasin.

— Quoi qu'il en soit, nous nous sommes revus et depuis, je suis sur un petit nuage !

— Tant mieux, il était temps que tu t'amuses un peu ! Et tu crois que ça va donner quelque chose ?

Laurel haussa les épaules d'un air qu'elle voulait détaché.

— Non. Tu vois, c'est le genre idylle passionnée qui ne dure pas…

— Si tu es contente comme ça, et que tu ne tombes pas amoureuse, pourquoi pas ? commenta son amie. Et quand est-ce que tu nous le présentes, cet homme idéal ? Ça te dit, qu'on aille danser tous les quatre ce soir ?

— Je ne peux pas, ce soir, je vais à la soirée de *Belle et Sexy*, au Roxy Club. Mais si ça te dit, je peux laisser un mot à l'entrée pour qu'on vous fasse entrer. Ça risque d'être très sympa, et comme ça vous ferez la connaissance de Mac.

— Super ! Mais en attendant, j'imagine que tu n'es pas venue ici juste pour me parler de ton beau motard…

— Je suis venue voir mon père, vu qu'il ne répond pas au téléphone et qu'il ne rappelle pas, même quand je lui laisse des messages… En fait, je voulais lui parler de la vente aux enchères. Je ne sais même pas s'il vient.

— Bien sûr qu'il va venir ! Il ne manquerait pas cet hommage.

— Je ne sais pas, Sherry. Il est distant depuis quelque temps et il n'a participé à aucun préparatif.

— Il est très occupé, tu sais, et sans doute préfère-t-il vous laisser vous en charger, Dylan et toi.

— Peut-être…

— En tout cas, tu l'as manqué. Il est sorti. M. Tolliver et lui avaient rendez-vous avec un client pour déjeuner.

— Tant pis. Ça m'a vraiment fait plaisir de te voir, Sherry.

En sortant, Laurel songea à ce qu'elle avait dit à son amie. Au mensonge qu'elle lui avait servi. Car Mac était davantage qu'une simple aventure. Il devenait un confident et elle ne savait qu'en penser. Elle s'impliquait de plus en plus dans cette relation et plus ça allait, plus elle se sentait plonger.

Le tout était de ne pas se noyer.

Mac jeta un coup d'œil à Laurel tandis qu'ils roulaient vers le Roxy Club. Elle semblait perdue dans ses pensées.

— Que se passe-t-il ?

Elle se tourna vers lui.

— Je n'ai pas pu contacter mon père au sujet de la vente aux enchères.

— Tu lui as laissé un message ?

— Oui, avec tous les détails.

— Peut-être pense-t-il qu'il n'est pas nécessaire de te rappeler ?

Un pâle sourire effleura les lèvres de Laurel.

— Oui, sans doute. Il viendra, j'imagine.

La vente aux enchères allait être un gros problème, songea Mac. Le père de Laurel y assisterait et le reconnaîtrait à coup sûr. Pourtant, il voulait être aux côtés de Laurel en cette occasion si importante pour elle.

Il ne savait vraiment pas comment il allait pouvoir gérer la situation.

Quelques minutes plus tard, ils arrivaient devant le club. A la porte, un vigile baraqué leur bloqua l'entrée.

— C'est un soirée privée.

— Je suis invitée dit Laurel. Laurel Malone et Mac Hayes.

L'homme consulta sa liste.

— Très bien, vous pouvez entrer.

— Je souhaiterais m'assurer que Sherry Black et Michael Vega figurent également sur la liste.

Sherry ? Mac sentit un filet de sueur glacée couler le long de son dos. Si Sherry le voyait…

— Ils s'y trouvent, répondit le vigile.

Laurel le remercia et pénétra dans le club.

— Salut ! s'exclama Haley d'une voix enthousiaste dès qu'elle l'aperçut.

Elle était vêtue d'une robe gris perle très sobre mais très sexy et le frère de Laurel, le beau ténébreux, était tout en noir, col roulé et pantalon de créateur.

Mac se sentit soudain très déplacé face à ce couple si élégant, mais Laurel avait insisté pour qu'il soit en cuir. Dire qu'il s'habillait la plupart du temps comme Dylan lorsqu'il sortait !

Laurel fit les présentations et lorsque Dylan Malone serra la main de Mac, il marqua un temps d'arrêt.

— Ne nous sommes-nous pas déjà rencontrés ?

Mac blêmit. Il était très possible, en effet, qu'ils se soient croisés à la Malone Financial Services.

— Je ne crois pas, répondit-il, la paume des mains moites.

Il jeta un coup d'œil autour de lui. Il fréquentait assez souvent ces endroits branchés, mais fort heureusement, aucun visage ne lui parut familier.

La décoration était superbe : bois sombre et métal, sièges et banquettes en cuir, appliques et lustres modernes de verre de Murano. Au fond de la salle, un escalier menait dans le salon entièrement vitré et insonorisé du premier étage.

Laurel prit la main de Mac et ils se frayèrent un chemin à travers la foule des invités, en direction du bar. Le champagne y coulait à flots, mais Mac avait besoin de quelque chose de plus fort.

— Une tequila, sans glace, demanda-t-il au barman.

Sa flûte de champagne à la main, Laurel se tourna pour parler à quelqu'un et Mac entendit soudain la voix de Sherry par-dessus le brouhaha des conversations. Il s'éclipsa rapidement, se fondit dans la foule et trouva un endroit tranquille à l'écart d'où il put observer Laurel et Sherry.

Il vit Laurel regarder autour d'elle. Elle le cherchait. Finalement, elle eut un petit haussement d'épaules et poursuivit sa conversation avec son amie. Mac transpirait. Il ôta son blouson, le jeta sur un fauteuil.

Dès que Sherry et son petit ami se furent éloignés pour danser, il rejoignit Laurel.

— Tu viens juste de manquer Sherry ! s'exclama-t-elle.

— J'aurai l'occasion de la rencontrer plus tard, la soirée ne fait que commencer, répondit Mac.

Laurel termina sa flûte et Mac l'invita à danser. Il y avait tant de monde sur la piste qu'ils étaient étroitement serrés l'un contre l'autre, ce qui n'était pas pour déplaire à Mac. Laurel portait une petite robe noire moulante très sexy, décolletée dans le dos.

Tandis qu'ils dansaient, il se surprit à songer au doux balancement de ses hanches, à son corps souple comme une liane. Il laissa une main descendre jusqu'au creux de ses reins et, glissant un genou entre ses jambes, il la plaqua contre lui. Elle réagit aussitôt, pressant son sexe contre sa cuisse. Qu'imaginait-il ? Qu'elle allait s'effaroucher ? Elle releva le défi et, accordant ses mouvements aux siens, elle soutint son regard, les yeux brillants d'excitation et de désir.

Lorsque la danse s'acheva, l'orchestre entonna un slow langoureux. Mac la serra contre lui et elle posa la tête contre son épaule. Il se pencha alors et l'embrassa dans le cou. Ses lèvres douces et chaudes caressèrent sa peau et il la sentit frissonner.

Laurel referma les bras autour de lui et ils continuèrent de danser, soudés l'un à l'autre. La musique s'étirait, langoureuse, sensuelle, et elle laissa ses mains glisser le long de son dos, jusqu'à ses reins. Il sentait leur chaleur à travers sa chemise.

Laurel était irrésistible. Elle le mettait sens dessus dessous et il ne songeait déjà plus qu'à la déshabiller, à la tenir nue dans ses bras, à la caresser… Mais il faudrait attendre. Le morceau s'acheva sur une note lente, provocante. Du coin de l'œil, Mac vit que Sherry et Michael se dirigeaient vers eux.

— Tu veux une autre flûte de champagne ? demanda-t-il.
Sans attendre la réponse, Mac s'éloigna en direction du bar et de son poste d'observation. La soirée se poursuivit ainsi, Mac disparaissant chaque fois que Sherry s'approchait. Mais au bout de quelques heures, la tension se fit insupportable et tandis que Sherry et Michael gagnaient le salon du premier étage, Mac sortit et demanda au voiturier d'avancer sa voiture.

De retour dans la salle, il chercha Laurel des yeux. Elle discutait avec sa belle-sœur.

— Laurel, tu n'avais pas parlé de partir de bonne heure, demain ? demanda-t-il en arrivant auprès d'elle.

— Si. Nous devrions rentrer.

Elle se tourna vers Haley.

— La soirée était vraiment très réussie.

— Merci d'être venus. Cela m'a fait plaisir de vous revoir, Mac.

Mac acquiesça d'un signe de tête et entraîna Laurel vers la sortie. A ce moment, il entendit Sherry l'appeler. Il pressa le pas, tirant Laurel à travers la foule des invités, le cœur battant à tout rompre.

Ils débouchèrent dans la rue et il poussa Laurel dans la voiture.

— Mac, pourquoi partir si vite ? protesta Laurel. Sherry était juste en train de m'appeler !

Il démarra en trombe au moment précis où Sherry faisait irruption sur le trottoir et sentit son sang se glacer lorsque leurs regards se croisèrent dans le rétroviseur.

— J'ai vu quelqu'un à qui je n'avais aucune envie de parler, expliqua-t-il.

Sherry avait-elle eu le temps de le reconnaître ?

Il espérait que non.

11.

Quels sous-vêtements aimeriez-vous qu'il porte ?
a. un boxer short
b. un caleçon
c. un slip moulant
d. rien
Extrait du test de *Belle et Sexy* :
Quel type d'homme vous fait craquer ?

Laurel posa son sac sur la banquette arrière. Mac ne lui avait toujours pas demandé où ils allaient.

— C'est à trois quarts d'heure de route, dit-elle.

Mac se tourna vers elle, une lueur amusée dans le regard.

— Je suis de plus en plus intrigué.

Durant le trajet, Laurel demeura très silencieuse. Plus les kilomètres passaient, plus son anxiété croissait à l'idée de partager ce secret si important.

— Nous sommes presque arrivés, dit-elle lorsqu'ils furent aux abords de la petite ville. Mais je dois d'abord m'arrêter à la scierie.

— A la scierie ? Pourquoi ? demanda Mac, très étonné.

— J'ai promis à mon voisin d'effectuer un petit travail

pour lui en échange d'un plat de lasagnes. Avant de partir, je lui ai téléphoné pour lui dire qu'il aurait un convive supplémentaire.

— Et en plus, je suis invité à dîner ? C'est formidable.

Laurel sourit.

Ils s'arrêtèrent à la scierie et elle ressentit l'habituelle pointe d'excitation en sentant l'odeur du bois.

Le patron la salua.

— Alors, que vous faut-il aujourd'hui, mademoiselle Malone ? A quoi travaillez-vous ?

— A un escalier.

Laurel commanda tout le matériel nécessaire, consciente du regard de Mac posé sur elle.

— Je suis impressionné, dit-il tandis qu'un employé chargeait la voiture.

— Pourquoi ? Parce que je suis une femme ?

— Non. Je crois les femmes capables de tout faire, y compris de la menuiserie. C'est seulement que j'aime être surpris et découvrir que ce qui brille est en fait un diamant. J'aime tout ce que je découvre chez toi, Laurel.

— Merci. C'est le plus beau compliment qu'on m'ait fait depuis longtemps.

— Laurel ! s'exclama soudain une voix féminine derrière eux.

— Wanda ! Je suis heureuse de vous voir. Comment ça va, le restaurant ?

— Je n'arrête pas. Je n'ai plus une minute à moi.

Laurel se tourna vers Mac et fit les présentations.

— Mac Hayes, Wanda Sanders, propriétaire du meilleur restaurant de cette ville.

Les deux femmes plaisantèrent quelques instants, puis Laurel enchaîna :

— M. Hayes nous a invités à dîner, ce soir. Nous

pouvons venir accompagnés de qui nous voulons. Ça vous dit, Wanda ?

— Je ne voudrais pas déranger.

— Vous ne dérangerez pas, j'en suis sûre ! Et cela nous donnera l'occasion de discuter plus longuement.

— Dans ce cas, alors, peut-être.

— M. Hayes a un faible pour elle, expliqua Laurel dès que Wanda se fut éloignée, alors je donne un petit coup de pouce au destin. Il y a des mois qu'ils se tournent autour.

— Jouer les entremetteuses peut s'avérer dangereux.

— Depuis que je t'ai rencontré, j'aime vivre dangereusement ! rétorqua Laurel avec un sourire malicieux.

Lorsque Laurel se gara dans l'allée de sa petite maison blanche, Mac ne put contenir sa curiosité.

— Où sommes-nous ?

— Chez moi. Cette petite maison m'appartient.

— C'est ton havre de paix loin du tumulte de la ville, c'est ça ?

— C'est beaucoup plus que cela.

Avant que Mac ait eu le temps de poser la moindre question, il aperçut un homme d'âge mûr traverser la petite cour et s'avancer vers eux. Il lui trouva un air étrangement familier.

Laurel descendit de voiture et le salua.

— Monsieur Hayes, je vous présente Mac Hayes. Il va me donner un coup de main pour votre escalier.

Mac tendit la main.

— Ravi de vous rencontrer, dit l'homme en la serrant avec force. C'est drôle. Nous portons le même nom.

Mac hocha la tête. Puis il aida Laurel à décharger la voiture et ils se mirent au travail.

Quelle énergie ! Mac observait Laurel, ébahi. Elle était fantastique. Parfaitement à l'aise, elle sciait, coupait, assemblait, lui donnant en même temps des ordres qu'il suivait à la lettre. Il faisait chaud et M. Hayes leur apporta à plusieurs reprises des boissons. Lorsque l'escalier fut terminé et les outils rangés, ils entrèrent chez Laurel pour se laver et se changer.

Lorsqu'ils sortirent, ils trouvèrent la cour pleine de gens, et M. Hayes s'activant auprès d'un barbecue.

— Désolé, Laurel, pas de lasagnes ce soir. Lorsque j'ai dit que vous répariez mon escalier, tout le monde m'a suggéré d'organiser une petite fête pour vous remercier !

Il y avait longtemps que Mac n'avait passé un moment aussi agréable, à discuter avec les voisins de Laurel et à l'observer, riant, heureuse, pleine de vie.

Lorsqu'il la vit gagner sa voiture, il s'excusa et la suivit. Elle enfilait un pull lorsqu'il la rejoignit.

— Tu as froid ? Tu aurais dû me le dire. Tu sais, je connais de nombreuses façons de te réchauffer…

— Toutes interdites en public ! s'exclama Laurel en riant. Ça va, tu passes un bon moment ?

— Excellent.

— Ce n'est pas vraiment ton monde, mais ce sont des gens très sympathiques.

— Je les apprécie beaucoup.

Quelqu'un mit de la musique et Mac leva les yeux vers le ciel. Il était criblé d'étoiles.

— C'est si beau, ici, dit-il. Si calme.

Il écarta doucement une mèche de cheveux de la joue de Laurel et la glissa derrière son oreille.

— Chacun de nous a besoin d'un endroit où se ressourcer.

Mac aurait voulu pouvoir lui parler de la maison de son

enfance, de la plage superbe qui s'étendait juste en bas. Il aurait voulu lui parler de l'amour qu'il éprouvait pour ce lieu et ses parents. Mais un motard rebelle était-il censé s'émouvoir de la sorte ?

— Regarde, dit-elle soudain.

Mac tourna la tête et eut un petit pincement au cœur en apercevant M. Hayes et Wanda installés sous le porche, en train de discuter main dans la main.

— Je te l'avais dit, annonça Laurel, triomphante.

Mac ne put résister. Il se pencha vers elle et captura ses lèvres impertinentes.

La soirée touchait à sa fin. Petit à petit, tout le monde prit congé et Laurel entraîna Mac dans sa maison. Elle le conduisit à l'étage, jusqu'à la chambre la plus proche. Il y déposa leurs sacs et il s'apprêtait à sortir lorsqu'il aperçut une pile de jeux sur une étagère : Cluedo, Trivial Pursuit... Mais ce fut surtout le Monopoly qui attira son attention

Laurel était déjà redescendue et elle allumait un feu dans la cheminée du salon lorsqu'il la rejoignit. Elle sourit en apercevant la boîte de Monopoly.

— Si tu as l'intention de jouer avec moi, il vaudrait mieux que tu saches que je joue pour gagner.

— C'est un défi ? Eh bien, que le meilleur gagne !

Mac s'installa devant le feu et souleva le couvercle pendant que Laurel allait préparer du café. Les souvenirs affluèrent de parties endiablées avec Tyler et il sourit, attrapant les pions pour les placer sur la case départ.

Quelques instants plus tard, Laurel revint portant deux chopes de café fumant. Elle les posa sur le côté de la cheminée et s'assit en tailleur face à Mac.

— Qui tient la banque ?

— On pourrait la prendre à tour de rôle, suggéra Mac.

La partie démarra sur les chapeaux de roues. Une heure

et demie plus tard, Laurel possédait déjà une belle avance. Mac avait presque épuisé son crédit à acheter des hôtels et à payer ses passages dans ceux de Laurel. Un passage sur la case « chance » lui fit gagner dix dollars pour récompense du second prix au concours de beauté. Laurel en plaisantait encore lorsqu'elle tomba à son tour sur la case et tira une carte qui la conduisit directement en prison.

Quand Mac tira la carte qui permettait de sortir de prison, il jeta à Laurel un regard malicieux.

— Combien serais-tu prête à donner pour l'avoir ?

— Beaucoup. Mais mieux vaut que je relance les dés, car tout ce à quoi je pense est définitivement classé X !

— Et alors ? Ça me va très bien moi...

— Ah oui ? Dans ce cas, voilà qui devrait te réchauffer.

Le regard de Mac s'enflamma soudain. Laurel se pencha vers lui, les yeux embués de désir et... soudain, saisit sa tasse.

— Je te prépare un autre café.

— Tricheuse ! s'exclama Mac.

Laurel était ravie. Elle se leva, gagna la cuisine. Mac la suivit. Il glissa les bras autour de sa taille et l'embrassa dans le cou. Elle se laissa aller contre lui.

— Alors, la partie te plaît ?

— Tu avais raison, tu es une joueuse de choc. Je me croyais bon, mais tu es un as, je crains de devoir m'incliner.

— Et encore, la partie n'est pas terminée !

Ils prirent leurs tasses et regagnèrent le salon.

Les choses se gâtèrent vite pour Mac et il ne put bientôt plus payer ses passages sur les propriétés de Laurel.

— Je vais devoir hypothéquer.

— Je suggère une alternative. Tu enlèves le haut et nous sommes quittes.

Mac lui adressa un sourire à tomber à la renverse tandis qu'il commençait à déboutonner sa chemise. Laurel le regardait, fascinée. La lueur dorée des flammes jouait sur les muscles de son torse. Il était magnifique.

— A toi, Laurel, dit-il d'une voix rauque.

Elle fit rouler les dés. Au tour suivant, Mac tomba de nouveau chez elle.

— Je demande le pantalon, cette fois...

Il se leva, dégrafa lentement les boutons du jean, puis le fit glisser le long de ses hanches, accrochant volontairement son boxer short au passage. L'élastique glissa, révélant son sexe en pleine érection.

— Oh, s'exclama-t-il. J'ai failli donner trop.

Laurel surprit la lueur de désir dans son regard bleu intense. Déjà, il remettait le boxer short en place.

— Je demande le boxer short, dit-elle, le souffle court.

— Je n'ai même pas lancé les dés !

— Non, c'est mon tour, et je déclare la partie terminée. J'ai gagné. Je crois avoir mérité une récompense.

Mac releva aussitôt le défi. D'un geste, il ôta son boxer short et se planta devant Laurel, nu, bandant pour elle. Elle en eut le souffle coupé.

Son regard s'attarda un instant sur la toison légère de son torse, puis suivit le chemin étroit qu'elle formait jusqu'à son ventre plat et, plus bas encore, écrin pour son érection, son sexe dardé fièrement.

Elle arrangea rapidement quelques coussins devant le feu. Puis elle prit Mac par la main et l'attira à elle. Dès qu'il l'eut rejointe, elle le poussa à plat ventre.

— J'ai prévu une petite distraction pour toi, ce soir. Ne bouge pas, je reviens.

Elle se précipita à l'étage pour aller chercher l'huile de massage qu'elle avait apportée et revêtir à la hâte un ravissant ensemble de dentelle ivoire : soutien-gorge, porte-jarretelles et bas. Puis elle appliqua sur ses lèvres un rouge intense qu'elle illumina d'une touche de brillant.

Lorsqu'elle regagna le salon, Mac était allongé sur le côté, appuyé sur un coude. Son regard ne la quitta pas une seconde tandis qu'elle descendait l'escalier. Elle était superbe.

Elle s'approcha, s'agenouilla auprès de lui.

— Remets-toi sur le ventre.

— Je veux te regarder…

— Plus tard. Tu en auras tout le loisir.

Il effleura sa gorge.

— J'ai envie de sentir tes jambes gainées de soie serrées autour de ma taille pendant que je te pénètre, murmura-t-il d'une voix rauque.

Laurel sentit un long frisson la parcourir.

— Continue… j'adore t'entendre dire ce que tu as envie de faire avec moi.

— J'ai envie de caresser tes seins, de les mordre, de te faire jouir avec ma bouche.

— Oh, Mac, murmura Laurel, fermant les yeux, soudain au supplice.

Il se releva brusquement, la prit par les épaules et l'attira contre lui. Elle haletait, sa poitrine frémissante soulevée par l'émotion.

Il se pencha et lorsqu'il prit tour à tour ses seins dans sa bouche, en mordilla les pointes dressées à travers la fine dentelle du soutien-gorge, Laurel crut défaillir. Jamais, elle n'avait connu torture plus délicieuse. Mais Mac n'entendait pas en rester là. D'un geste, il fit glisser les bretelles du soutien-gorge et dénuda ses seins.

Et il recommença, effleurant ses seins de ses lèvres, faisant rouler leurs pointes dures sous sa langue, les mordillant, puis aspirant soudain leur chair ferme et palpitante.

Eperdue, Laurel se cambra. Mac avait refermé les mains autour de sa taille et il pressait ses lèvres contre ses seins, les léchait avec avidité. Et à chaque mouvement de sa bouche, c'était comme si une décharge électrique parcourait le corps de Laurel, se répercutait dans ses reins, son sexe déjà moite de désir.

Laurel renversa la tête en arrière, soudain arc-boutée. Il referma alors les mains sur ses seins, les pressa contre sa bouche, les mordant, les suçant avec frénésie. Elle perdit tout contrôle et, soudain, dans un long cri rauque, elle jouit, le corps secoué de spasmes.

Un instant plus tard, elle s'effondra contre lui, encore toute frémissante.

— Ce n'était pas ce que j'avais prévu, dit-elle bientôt, lorsqu'elle eut récupéré un peu de souffle. Tu as l'art de me détourner de mon chemin.

— Pour t'emmener vers des destinations qui semblent te convenir, on dirait.

— Tout à fait. D'ailleurs, je suis partante pour un nouveau voyage, mais d'abord... allonge-toi sur le ventre.

Mac s'exécuta. Laurel ouvrit le flacon d'huile et en versa quelques gouttes dans sa main. Puis, frottant ses paumes l'une contre l'autre, elle la réchauffa. Alors, se penchant vers Mac, elle commença par la nuque, les épaules et, lentement, elle se mit à masser son corps, descendant petit à petit le long de son dos jusqu'à ses reins, ses fesses qu'elle pressa fermement sous ses paumes, lui arrachant des gémissements de plaisir. Lorsqu'elle se fit plus audacieuse encore, glissa une main entre ses cuisses, il voulut se relever, mais elle l'en empêcha et, pressant les mains au creux de ses reins, elle s'assit sur lui.

Mac ne put retenir un grognement lorsqu'elle se mit à bouger, à glisser sur lui, à se frotter en une danse lascive, incroyablement érotique. Il sentait son sexe humide et chaud presser ses fesses, ses reins.

Laurel avait fermé les yeux et elle bougeait de plus en plus vite, le corps parcouru de sensations merveilleuses. Soudain, elle serra les poings, se mordit la lèvre et elle jouit dans un cri étouffé.

Mac se retourna.

— Prends-moi, Laurel. Maintenant, dit-il d'une voix rauque.

Encore tout à l'émoi qu'elle venait de vivre, Laurel saisit un préservatif, l'enfila sur son sexe dressé, incroyablement dur et, descendant sur lui, le prit en elle de toute sa longueur.

Il ouvrit les yeux, plongea son regard dans le sien et elle y lut une émotion qu'elle ne prit pas le temps de déchiffrer. Elle se mit à bouger, ivre de désir. Et tandis qu'elle accélérait le rythme, il referma une main sur sa nuque, l'attira vers lui et prit sa bouche, plongeant sa langue en elle. Avides, impatients, ils s'embrassèrent fougueusement, se pressant l'un contre l'autre au rythme fou de leurs corps emportés par la passion.

Laurel se sentait à lui, corps et âme, d'une façon qui défiait la relation telle qu'elle l'avait définie et faisait naître en elle des sentiments incompatibles avec le court terme.

Elle s'empressa de chasser ces pensées pour ne songer qu'aux sensations bouleversantes qui l'assaillaient. Cette fois, lorsque l'orgasme la saisit, balayant tout sur son passage telle une lame de fond, Mac était à l'unisson. Il poussa un grognement, interrompit leur baiser et, rejetant la tête en arrière, il lâcha prise.

12.

Pour nimber de lumière vos ébats, vous choisissez :
a. un chandelier
b. un spot de couleur
c. une torche
d. le clair de lune
Extrait du test de *Belle et Sexy* :
Quel type d'homme vous fait craquer ?

Mac s'éveilla aux premières lueurs de l'aube, calé dans les coussins moelleux. Le jeu de Monopoly était éparpillé sur le sol et le feu réduit à quelques braises rougeoyantes.

Il tendit l'oreille, s'attendant à entendre du bruit dans la cuisine. Rien. La maison était totalement silencieuse. Où pouvait bien être Laurel ?

Désormais, Mac ne pouvait plus nier les sentiments qu'il éprouvait pour elle. Il l'aimait. C'était la première fois qu'il le formulait aussi clairement et son cœur se mit à battre comme un fou. Il laissa le sentiment envahir sa poitrine. Laurel était une femme extraordinaire et elle le comblait.

Le jour approchait où il faudrait lui révéler la vérité. Comment réagirait-elle en découvrant qu'il était le genre d'homme avec lequel elle ne se voyait absolument pas faire sa vie ? Et pour cause.

Depuis tout petite, elle avait son père comme référence et, pour elle, tous les hommes qui travaillaient dans la finance lui ressemblaient. A lui de lui prouver qu'il n'en allait pas ainsi. D'ailleurs, il avait beaucoup découvert sur lui-même ces derniers temps et notamment qu'il y avait chez lui un côté définitivement rebelle.

Mac se leva, s'habilla et chercha Laurel dans toute la maison. En vain. Il faisait frais. Il enfila un pull et sortit. Elle n'était pas dehors non plus. La journée s'annonçait magnifique : peut-être était-elle partie faire une promenade ?

Tout à coup, il entendit un bruit métallique provenant du garage. Il s'approcha, ouvrit doucement la porte. La lumière filtrait par les lucarnes du toit. Laurel se tenait à l'établi, occupée à creuser une pièce de bois avec une gouge. Un croquis était fixé au mur, face à elle, avec des cotes et toute une série de notes griffonnées.

Elle portait une salopette en jean et un T-shirt blanc que la lumière rendait plus éclatant encore. Ses cheveux relevés haut en queue-de-cheval dégageaient son visage concentré.

Mac la regarda travailler et comprit C'était donc cela son secret. C'était elle qui avait fabriqué les meubles de sa chambre, la chaise au dossier en forme de bouche, la table marquetée. Laurel était une ébéniste. Une créatrice. Une artiste.

Une foule d'émotions l'assaillit. Inutile de dire qu'il comprenait pourquoi elle n'avait rien dit à son père. Il n'imaginait pas M. Malone appréciant le genre de quête de sa fille. Car pour Laurel, il le savait à présent, il ne s'agissait pas seulement d'exprimer sa créativité mais de rejoindre sa mère, de se montrer à la hauteur de cette femme admirable.

Très troublé, il entra dans le garage. Laurel se retourna et la vulnérabilité qu'il lut sur ses traits lui serra le cœur.

— C'était donc cela, ton secret ?

Elle hocha la tête, posa son outil et ôta ses lunettes de protection.

— Personne n'est au courant.

— Pourquoi ?

Elle eut un petit haussement d'épaules.

— Les gens ne comprendraient pas. Mon père, surtout. Il ne regarderait même pas mes meubles.

Mac s'avança et referma la main sur sa joue.

— Il ne s'agit pas que de cela, Laurel.

— Ah non ?

— Non. Tu crains d'être jugée et pas seulement par ta famille.

Elle garda le silence un instant.

— Je me protège, c'est tout, et c'est pour ça que je veux que ce lieu demeure un havre de paix. Tout comme j'essaie de me mettre à l'abri. Enfin, c'était le cas avant de te rencontrer.

— Ton petit bout de paradis, c'est ça ? dit Mac d'un ton un peu sec.

— J'ai quand même accepté de te le montrer. Cela veut dire quelque chose, non ?

— Oui, que tu me fais confiance.

Laurel leva les yeux vers lui et se glissa dans ses bras, se cramponna à son cou. Mac la serra éperdument contre lui et enfouit son visage au creux de son cou. Mon Dieu, il se sentait tellement coupable.

— Oui, j'ai confiance en toi, dit-elle.

Elle était abandonnée dans ses bras, si vulnérable et si

forte à la fois. Et si douce. Ses cheveux sentaient bon, le parfum de sa peau l'enivrait. Il la serra plus fort et elle eut un petit gémissement. Elle tourna la tête vers lui, cherchant sa bouche, pressant intimement son corps contre le sien. Un frisson parcourut Mac et leurs lèvres s'unirent, avides, impatientes. Corps unis, plaqués l'un contre l'autre, ils s'embrassèrent à perdre haleine, emportés par la violence de leur désir.

Non, ça n'allait pas. Pas du tout, songea Mac. Il était censé lui révéler toute la vérité, pas lui faire l'amour. Mais il avait envie d'elle et il savait que dès que les mots auraient franchi ses lèvres, tout changerait.

Laurel avait dû sentir cet instant d'hésitation car elle se cramponna plus fort à lui. Elle murmura son nom dans un souffle, se mit à bouger contre lui, l'invitant de tout son corps et, soudain, toute pensée raisonnable s'envola et il perdit le contrôle.

La chaleur de son corps pressé contre le sien lui faisait tourner la tête. Il la saisit par les hanches, la souleva. Il avait besoin d'elle, de sentir sa chaleur, son poids. Il avait besoin de la prendre, d'être en elle. Maintenant.

Laurel laissa échapper un petit râle et se cambra, pressant son sexe contre le sien en pleine érection.

– Mac, dit-elle, le souffle court. N'arrête pas, je t'en supplie.

Elle bougea, se frotta à lui, et il la plaqua plus fort contre son sexe bandé, répondant instinctivement à ses avances. Corps contre corps, chaleurs mêlées, il n'y eut soudain plus de retour en arrière possible.

De nouveau, Mac prit sa bouche et elle répondit à son baiser avec fougue, ses lèvres pressant les siennes avec frénésie. Elle voulait davantage, bien davantage. D'un geste, il glissa une main sous son genou, la hissa contre lui et saisissant ses fesses à pleines mains, il se mit à bouger contre elle. Un grognement lui échappa lorsqu'elle réagit à ses assauts, chevauchant, éperdue, son sexe en érection, le cherchant, le voulant déjà en elle. C'était un corps à corps violent, primitif, une étreinte presque animale. Ivre de désir, Mac perdait pied. Il allait exploser s'il ne venait pas en elle.

Laurel balbutia des mots incohérents contre sa bouche, puis s'écarta, et un violent frisson parcourut le corps de Mac. Il la sentit dégrafer la ceinture de son jean, ouvrir sa braguette, et à l'instant où ses doigts effleurèrent sa chair, sa verge dure et palpitante, il grogna son nom et s'écarta pour ôter ses vêtements.

Fébrile, il lui arracha les siens et lorsqu'elle referma les doigts sur son sexe, il perdit tout contrôle. Il repoussa sa main, l'empoigna et la hissa contre lui. Il se sentait à la limite, proche de jouir. Il saisit ses jambes, les referma autour de sa taille et il la plaqua sur l'établi. Alors, fermant les yeux, il plongea en elle d'un seul coup de reins, puissant, possessif. La sensation intense et bouleversante de son sexe étroit et humide se refermant sur sa chair lui coupa le souffle et il resta un instant figé, immobile.

Laurel resserra les jambes autour de lui et se cambra, l'incitant à bouger. Il réagit aussitôt, plongeant en elle de toute sa force, de toute sa puissance, encore et encore. Brusquement, elle poussa un cri, se cramponna à ses épaules et s'immobilisa, cambrée sous lui, et il sentit son plaisir se répercuter dans la chair palpitante de son sexe enserrant le sien. Alors, il la rejoignit dans la volupté avec un long cri rauque, libérant sa semence en longs spasmes qui le laissèrent éreinté, ébloui, heureux.

Son cœur battait à tout rompre. Il avait tant de mal à respirer que la tête lui tournait. Il posa son front contre le sien, le corps frémissant. Il se sentait vidé.

Il n'aurait su dire combien de temps il demeura ainsi, tenant Laurel serrée dans ses bras, exténué, incapable de bouger.

Ce ne fut que lorsqu'il changea de position, pressant son visage contre le sien, qu'il sentit sa joue humide de larmes. Il la serra plus fort, l'embrassa dans le cou, bouleversé par le sentiment qui envahissait soudain sa poitrine, ce besoin irrépressible de la protéger. Mais la seule personne contre laquelle elle avait besoin d'être protégée, c'était lui.

Il attendit un instant que l'émotion se calme, puis il la souleva doucement, la laissa glisser le long de son corps jusqu'à ce que ses pieds touchent le sol.

Ils s'habillèrent rapidement, l'air du matin était frais sur leurs corps en nage. Puis Mac attira Laurel contre lui et prit sa bouche en un baiser très doux, très tendre, comme pour la rassurer, s'excuser de lui avoir menti. Elle s'était donnée à un homme qui l'avait trompée.

Il glissa les doigts dans ses cheveux soyeux, la gorge soudain nouée.

— Laurel, je suis heureux que tu m'aies fait confiance, mais c'est en toi qu'il faut avoir confiance avant tout. Ton mobilier devrait faire partie des pièces rassemblées pour la vente aux enchères.

Il la sentit se crisper.

— Non.

— Pourquoi, Laurel ? Leur qualité le justifie largement.

Il s'approcha du canapé bleu et argent, effleura le bois poli du dossier. Puis il s'accroupit pour examiner le pied d'un fauteuil.

— L'assemblage est parfait. On le croirait d'un seul tenant.

— Mac, tu perds ton temps. Les créateurs et les artisans

qui participent à la vente ont des années de métier derrière eux. Ils ont étudié et…

— Et alors ? Beaucoup de gens seraient fiers de posséder l'un de tes meubles. Et puis, c'est le plus bel hommage que tu puisses rendre à ta mère.

Laurel se détourna, le visage fermé.

— Non, je ne veux pas prendre ce risque.

Mac ne trouva rien à ajouter. Ils sortirent du garage, se dirigèrent vers la maison. Ce fut alors qu'il prit conscience qu'il devait lui parler. Cela ne pouvait plus attendre.

— Je sais ce que c'est que d'aimer un lieu comme tu aimes celui-ci, commença-t-il. Mes parents possèdent une maison dans les Hamptons. Nous passions nos étés là-bas. J'aimais la plage, les grandes et belles journées en famille.

— Dans les Hamptons ?

— Oui. Mes parents sont des gens fortunés.

— C'était donc cela ! s'exclama Laurel. Tes manières, cette confiance en toi… Je me demandais d'où cela venait.

Il lui lança un regard plein de tendresse et décida de se jeter à l'eau.

— Tu sais, Laurel, ce n'est pas très étonnant si parfois… si parfois tu as l'impression d'avoir affaire à deux hommes différents…

— Laurel ? Mac ? Vous venez manger des crêpes ? l'interrompit la voix de M. Hayes.

— Viens ! dit-elle à Mac en adressant un petit signe à leur voisin qui était sorti sous le porche. Il cuisine les meilleures crêpes de tout l'Etat de New York.

Elle passa devant lui et il la suivit, les mots qu'il allait prononcer mourant sur ses lèvres.

Ils entrèrent chez M. Hayes, traversèrent le salon. Mac le suivit vers la cuisine, mais Laurel s'immobilisa, son attention attirée par une photo posée sur la cheminée.

Le monde bascula soudain. Elle avait déjà vu cette photo. Exactement la même, en plus grand, au mur de la chambre de Mac. Se pouvait-il que ce soit Tyler et leur mère dessus ?

— Venez avec nous dans la cuisine, dit soudain M. Hayes, qui était revenu vers elle. C'est une photo de mon ex-femme et de mon fils. Nous avons divorcé il y a très longtemps.

M. Hayes effleura d'un doigt les visages rieurs.

— Nous habitions cette maison. Après le divorce, je suis parti vivre en Californie. La maison m'appartenait, je n'ai jamais pu me résoudre à la vendre et, à la retraite, je suis revenu y vivre. Ainsi, je me sens proche d'eux, des jours les plus heureux de ma vie.

— Pourquoi vous êtes-vous séparés ?

— Une histoire de couple. Ma femme m'avait menti, je ne l'ai pas supporté.

M. Hayes hocha la tête.

— Cela n'a plus d'importance aujourd'hui. Je ne saurais dire pourquoi cela en eut autant à l'époque. Mais je regrette profondément ce qui s'est passé.

Il se tourna vers Laurel.

— C'était il y a très longtemps. Mais si je peux me permettre, je vais vous donner un conseil. Si vous aimez ce jeune homme, dans la cuisine, ne le laissez jamais partir et dites-lui chaque jour ce que vous éprouvez pour lui.

Il prit le chemin de la cuisine.

— Venez avant que Mac ait mangé toutes les crêpes !

Tandis qu'il se régalait de crêpes, Mac décida qu'il devait faire une nouvelle tentative pour parler à Laurel. Elle paraissait déstabilisée lorsqu'elle s'installa à table et ses mains tremblaient en prenant sa fourchette.

On frappa soudain à la porte et M. Hayes se leva pour aller ouvrir. Mac sourit en reconnaissant la voix de Wanda.

— Mac, il faut que je te montre quelque chose, dit Laurel.

Ils se levèrent et il la suivit dans le salon. M. Hayes était sorti sous le porche et avait refermé la porte. Laurel désigna la photo sur la cheminée et Mac sentit sa gorge se nouer. Il la connaissait bien. Elle représentait Tyler, bébé, et leur mère.

Tyler et lui aimaient tellement cette photo de leur mère, riant sous son grand chapeau de paille, qu'elle la leur avait fait refaire et encadrer. La sienne se trouvait dans son salon et celle de Tyler au mur de sa chambre.

M. Hayes était donc le père de Tyler ! Mac en était bouleversé.

— Mac, M. Hayes est-il ton père ? demanda soudain Laurel.

— Laurel, c'est une histoire trop complexe pour en parler maintenant.

— Je vois. Moi, je peux te raconter ma vie. Mais lorsqu'il s'agit de toi, la porte se referme, c'est ça ?

— Laurel, ce n'est pas du tout ça.

— Bien sûr, rétorqua-t-elle d'un ton glacial.

Mac ravala ce qu'il allait répondre. Il espérait seulement qu'elle ne dirait rien à M. Hayes.

— Regardez qui vient prendre le petit déjeuner avec nous, lança ce dernier en faisant irruption dans le salon, rayonnant, Wanda à son côté.

Laurel insista pour qu'ils partent après le petit déjeuner. Elle avait à faire. Mac ne discuta pas.

Ils ne se dirent pas un mot jusqu'à Manhattan. Laurel,

furieuse, conduisait vite, et Mac était encore trop sous le choc pour pouvoir discuter de quoi que ce soit avec elle. Il songeait à la façon dont il allait pouvoir apprendre la nouvelle à Tyler. A moins qu'il ne lui dise rien. Après tout, Tyler n'avait jamais manifesté l'envie de retrouver son père.

Mac éprouvait de la sympathie pour M. Hayes, et tous ces événements le bouleversaient. Il était amoureux de Laurel, mais son frère comptait énormément pour lui et il devait décider de la conduite à tenir. Il songea un instant à appeler sa mère, mais il y renonça aussitôt. Il savait peu de choses de sa vie antérieure et il était étrange de rencontrer l'homme qui avait été son mari et de découvrir qu'il n'était pas le lâche décrit par Tyler. Il était sans doute plus facile pour lui de croire que son père les avait abandonnés sans raison plutôt que d'imaginer qu'il avait pu connaître des déboires dans sa vie de couple.

Lorsque Laurel se gara devant chez Tyler, Mac était très agacé. Il aurait eu besoin de lui parler, besoin de ses conseils. Aussi le ton était-il très sec lorsqu'il lui dit au revoir.

— Ecoute, Mac, on ferait peut-être bien de ne pas se voir pendant un moment, répondit Laurel, crispée. On a passé de bons moments ensemble, mais j'ai besoin d'un homme qui sache échanger. Pas de quelqu'un qui prend tout ce que je donne sans rien donner en retour.

— Ce n'est pas ce que je fais.

— Ah non ? Et pourquoi ai-je l'impression que tu joues à un drôle de jeu avec moi ? Tu sais beaucoup de choses de moi alors que j'ignore quasiment tout de toi !

— Laurel, s'il te plaît, ne dis pas ça. Pas maintenant. J'ai besoin de toi...

— Désolée, dit-elle, le regard fixé droit devant elle, attendant qu'il referme la portière.

Il ne pouvait pas la laisser partir ainsi. Il fit le tour de la voiture, se pencha à sa vitre.

— Je peux t'appeler demain ? tenta-t-il.

Laurel se tourna vers lui.

— Mac, tu comptes pour moi, peut-être un peu trop, même. Mais s'il est dans ta nature de te comporter comme tu viens de le faire, alors on n'a rien à faire ensemble.

— J'ai besoin d'un peu d'air, c'est tout.

Les mots lui avaient échappé avant même qu'il s'en rende compte. Bon sang, tout allait trop vite. Il se sentait englué dans une situation dont il était le propre artisan et il était incapable de s'expliquer. Il le ferait, très bientôt…

Mac avait pris sa décision. Il devait voir Tyler. Lorsqu'il arriva au magasin de motos, son frère chargeait un camion avec deux de ses employés.

— Tu participes au rassemblement moto de demain ? demanda Mac dès que son frère l'aperçut.

— Oui, je suis engagé dans deux courses pour montrer la nouvelle Ducati et faire de la pub pour le magasin.

— Tu te plais dans mon loft ?

— A part que ta femme de ménage m'a surpris sous la douche, hier, tout va bien ! Elle s'est mise à hurler comme une folle jusqu'à ce qu'elle comprenne que j'étais ton frère.

— Pauvre Mme Lopez ! J'espère qu'elle voudra bien continuer à travailler pour moi après ça !

— Mais dis-moi plutôt, reprit Tyler avec un petit sourire, comment ça se passe avec la fille du patron ?

Mac se rembrunit.

— Nous nous sommes disputés. Je ne sais pas comment ça va tourner, mais c'est une fille extraordinaire et je l'aime.

— C'est à ce point ?

— Oui.

Tyler hocha la tête et Mac se massa la nuque, tendu.

— Il faut que je te parle de quelque chose. Je ne sais pas ce que tu vas en penser, mais voilà… je sais où se trouve ton père.

Tyler fronça les sourcils.

— Pardon ?

— Eh bien, il se trouve que Laurel possède une petite maison à moins d'une heure d'ici, dans une petite ville, Cranberry. Et qu'on y est allés l'autre jour, et que ton… père est son voisin. C'est dingue, hein ?

Les mains de Tyler tremblaient. Il les fourra dans ses poches.

— Dingue, ouais…, dit-il en s'efforçant de rire.

Mais son rire sonnait faux.

— Tu veux en parler ? demanda Mac.

— Laisse tomber ! Je n'ai pas envie de parler de mon père ni de mes sentiments. Il nous a abandonnés, c'est tout.

— Il avait peut-être ses raisons. Il n'y a jamais qu'une seule version d'une histoire.

— Dois-je comprendre que tu es de son côté ? demanda Tyler. C'est bas.

— Non, je suis du tien, tu le sais. Je pensais seulement que tu ne devrais pas laisser passer l'occasion de parler avec lui.

— C'est non. Et maintenant, ça suffit. Nous avons des motos et du matériel à charger. Tu m'aides ou tu restes planté là, à rabâcher ?

Mac se dirigea vers le camion pour le charger, ne sachant que penser de l'attitude de son frère. En fait, c'était comme avec Laurel : l'amour ne suffisait pas toujours pour faire comprendre aux gens ce qui était bien pour eux.

Mais de même qu'il avait eu le courage de dire ça à Tyler, il devait trouver celui de tout avouer à Laurel. Et d'en accepter les conséquences.

Quitte à la perdre.

13.

S'il veut vous attacher pour faire l'amour, quel liens choisirez-vous ?

a. des écharpes de soie

b. des bracelets de cuir

c. des menottes

d. ses mains

Extrait du test de *Belle et Sexy* :

Quel type d'homme vous fait craquer ?

Le lundi matin, Mac arriva au bureau de bonne heure. Il s'était réveillé à l'aurore et avait décidé de démarrer tôt la journée.

En dépit de la manière dont ils s'étaient quittés, Laurel et lui, il sourit en songeant aux moments intenses passés en sa compagnie.

— Le week-end a été réussi, on dirait ! s'exclama soudain Sherry.

Elle se tenait dans l'encadrement de la porte, l'air entendu.

— Qu'est-ce qui vous fait dire cela ?

— Ce petit sourire énigmatique sur votre visage. Je me trompe ?

Savait-elle ? L'avait-elle reconnu au Roxy Club ? Il n'y

avait rien de moins sûr. En tout cas, il n'allait pas se laisser piéger.

— C'était un week-end mondain, pas très intéressant.

— Vraiment ? J'ai du mal à vous croire.

Sherry s'avança et laissa glisser une main sur le dossier du fauteuil, face à lui.

— Cessez de tourner autour du pot, Sherry.

— C'était vous, n'est-ce pas ?

— Où ?

— Au Roxy Club. Je vous ai vu partir en voiture avec Laurel. En tout cas, bravo pour avoir réussi à l'entourlouper.

— Je ne l'ai pas « entourloupée » comme vous dites.

— Non ? Vous vous faites passer pour un certain « Mac », je crois. Que se passe-t-il, au juste, avec Laurel ?

Mac sentit son estomac se crisper.

— Ce n'est pas du tout ce que vous pensez.

— Ah bon ? Alors, c'est quoi ?

Soudain, Mac n'eut plus le courage de mentir. Il était même un peu soulagé d'avoir été percé à jour, et il lui raconta l'histoire depuis le début.

— Je crains que vous n'ayez compromis toutes vos chances avec elle, conclut Sherry.

— Seulement si elle apprend la vérité de la bouche de quelqu'un d'autre. C'est à moi de tout lui révéler.

— Elle est mon amie.

Sherry tourna les talons et se dirigea vers la porte. Mac bondit et la rattrapa.

— Attendez, laissez-moi vous expliquer. J'ai de bonnes raisons de ne pas vouloir que vous la mettiez au courant.

— Ah oui ?

— Je sais que ce sera un choc pour elle, et je voudrais attendre que sa présentation chez Coyle et Hamilton ainsi que la vente aux enchères soient passées. Et surtout, c'est de moi, et de personne d'autre, que l'explication doit venir.

Il sentit que Sherry était sur le point de céder.

— Et puis il y a une autre raison. Je l'aime.

Sherry le fixa, soupesant ce dernier argument, et elle se décrispa soudain.

— O.K., je ne dirai rien.

— Merci, Sherry ! s'exclama-t-il avec gratitude. Et je vous promets de tout lui dire mardi soir.

— A votre place, je me préparerais à une réaction violente. Vous lui avez menti sur toute la ligne.

— C'était la tentative désespérée d'un homme désespéré. Il fallait que je fasse sa connaissance. Je sais ce que vous en pensez, mais je ne vous demande qu'une chose : ne lui dites rien.

— Vous l'aimez à ce point ? demanda Sherry, radoucie.

— Oui.

— Vous êtes un homme bien et je vous ai toujours estimé. J'espère que cela marchera pour vous deux, mais si ce n'est pas le cas, je serai là pour elle.

La sonnerie du téléphone retentit brusquement et Sherry quitta le bureau de Mac pour aller répondre. Mac aperçut M. Malone dans le couloir. Ce dernier lui fit un petit signe et passa la tête dans l'encadrement de la porte.

— Je viens de recevoir un appel de Kevin Coyle. Il souhaiterait que nous passions le voir à 10 h 30. Cela vous convient ?

— Tout à fait, répondit Mac, soulagé.

Laurel avait rendez-vous le lendemain, il n'y avait donc aucun risque qu'ils se croisent.

— Voilà qui est parfait, répondit William Malone.

Lorsque Mac fut seul, il s'approcha de la baie vitrée et

contempla New York. Laurel allait sortir de ses gonds et lui en vouloir terriblement. Il avait trahi sa confiance et il n'y avait pas de quoi être fier. Mais il ne parvenait pas vraiment à le regretter. Cette expérience lui avait permis de découvrir des aspects de sa personnalité qu'il ne soupçonnait pas. Il aimait conduire des motos et faire l'amour comme un fou avec Laurel. Elle était la femme de sa vie et l'idée de la perdre lui était intolérable.

Il songea de nouveau à la façon dont ils avaient fait l'amour dans l'atelier. A peine ses mains s'étaient-elles posées sur lui qu'il était déjà trop tard. Il s'était retrouvé enseveli comme dans des sables mouvants. Il y avait bien plus entre eux qu'une simple passion et il espérait que pour Laurel, aussi, c'était une évidence. Elle s'était donnée à lui sans réserve, corps et âme. Si elle choisissait de le quitter s'il la perdait, le souvenir de ces instants resterait à jamais gravé en lui. L'émotion serra soudain sa poitrine, violente, comme chaque fois que lui venait l'idée d'être à jamais séparé d'elle.

Il aurait voulu lui parler, tout de suite, mais il devait attendre le lendemain. Quarante-huit heures, cela lui paraissait une éternité. Pourvu qu'elle comprenne !

Laurel ne s'était jamais sentie aussi seule et malheureuse. La veille, elle s'était efforcée de s'occuper pour lutter contre la nervosité et le sentiment de profond malaise qui l'habitaient depuis qu'elle avait quitté Mac. Mais en ce lundi matin, les choses étaient presque pires.

Elle but une gorgée de café et faillit le renverser sur son chemisier lorsque la sonnerie du téléphone retentit soudain. C'était Susan Hamilton. Kevin Coyle et elle devaient quitter New York dans l'après-midi et elle lui demandait d'avancer sa présentation. Laurel était fin prête et cela ne lui posait pas le moindre problème. Bien au contraire. Voilà qui l'obligerait à se concentrer et à oublier Mac. Ne serait-ce qu'un moment.

Elle s'apprêtait à quitter le bâtiment lorsqu'elle aperçut M. Scott traversant le hall d'entrée.

— Puis-je vous parler un instant ?

— Bien sûr.

— M. Herman m'a dit que vous étiez intervenu pour que je sois promue à la place de Mark Dalton.

— C'est exact.

— Pourquoi ? Je suis très loin de posséder son expérience.

— Nous serions beaucoup mieux dans mon bureau pour discuter de cette question.

— Je suis désolée, je n'ai pas le temps. Je suis attendue chez Coyle et Hamilton.

M. Scott poussa un soupir.

— Laurel, votre père et moi sommes amis depuis le lycée.

— Mon père ?

Et soudain, Laurel comprit.

— C'est lui qui vous a demandé de m'accorder cette promotion ?

— Oui.

— Je dois y aller à présent, dit Laurel, abruptement.

Elle ne devait pas se laisser déstabiliser. Il fallait qu'elle garde le contrôle. La nouvelle l'avait abasourdie. Comment son père avait-il pu intervenir ainsi dans sa vie professionnelle ?

Elle héla un taxi, s'y installa et ferma les yeux, s'efforçant de retrouver son calme.

Chez Coyle et Hamilton, elle fut chaleureusement accueillie

à la réception par Susan Hamilton. Cette dernière la conduisit à la salle de conférences. Sa présentation fut brillante et très appréciée. Dès qu'elle eut terminé, Susan se leva.

— Laurel, nous avons le plaisir de vous annoncer que nos deux entreprises travailleront désormais ensemble.

Kevin Coyle s'avança, lui serra la main.

— Bienvenue à bord. Je dois vous laisser, à présent, j'ai une réunion. Merci d'être venue si vite et au pied levé.

Laurel ressentit alors une étrange sensation. Certes, elle était satisfaite et heureuse, mais ce n'était rien en comparaison de ce qu'elle éprouvait lorsqu'elle apportait la dernière touche à l'une de ses créations. Créer la comblait. C'était une sensation intense, une émotion à nulle autre pareille.

Et soudain, elle eut envie de ce magasin de la 27e Rue. Plus que jamais. Sa mère voulait qu'elle se réalise et lui avait laissé suffisamment d'argent pour cela, et Laurel comprit que le moment était venu d'exaucer son vœu. Et pas seulement cela. Elle se rendait compte à quel point Mac comptait dans sa vie, à quel point lui aussi faisait partie de son équilibre, de la nouvelle Laurel qu'elle était en train de devenir. Elle allait passer le voir et lui dire qu'elle l'aimait. Cette dispute avec lui était sans importance. Elle avait eu peur, voilà tout, peur de la force des sentiments qu'elle éprouvait pour lui.

Toutes ces pensées libératrices à l'esprit, Laurel saisit son attaché-case et gagna le couloir. Elle aperçut son père en train de discuter avec Kevin Coyle et un homme dont l'allure lui parut familière. Corps mince et musclé, les épaules larges, élégant et racé, mais avec une pointe de virilité presque agressive qui la titilla.

Attirée comme par un aimant, elle se dirigea vers lui. Brusquement, sa respiration s'accéléra et une onde de chaleur envahit son corps. Tous ses sens étaient en alerte. Elle avala sa salive, la gorge sèche. Quelle sensation étrange ! C'était comme une alchimie, un désir instinctif, irrépressible.

Elle pressa le pas. Son père l'aperçut et lui fit signe. Elle s'approcha. Il fallait qu'elle voie le visage de cet homme. Elle devinait une bouche sensuelle, des yeux à couper le souffle, un regard à vous transpercer jusqu'à l'âme.

Lorsqu'elle les rejoignit, son père la prit par le bras, très courtois, et posa la main sur l'épaule de l'homme.

— Laurel, je te présente Ted Tolliver, récemment débauché d'une entreprise concurrente.

Laurel entendit à peine. L'homme s'était retourné. Elle le fixa, interdite, laissant échapper son attaché-case. Son contenu s'éparpilla sur le sol.

Mac. C'était lui. Son motard tatoué et habillé de cuir. Elle était figée sur place. Soudain, elle se souvint des paroles de son père. Oh, mon Dieu, il travaillait pour lui !

Elle se baissa, se mit à rassembler frénétiquement ses affaires et à les fourrer dans son attaché-case. Mac s'accroupit pour l'aider, mais elle repoussa sa main. Elle se leva, se tourna vers son père.

— Comme s'il ne suffisait pas que tu te mêles de ma vie professionnelle, tu récidives avec ma vie privée ! explosa-t-elle. Mais comment peux-tu me faire une chose pareille ?

— Laurel, de quoi parles-tu ? demanda William Malone.

Mais elle ne l'écoutait déjà plus. Son regard allait de son père à cet homme passé dans le camp ennemi. Tout était clair à présent. Elle n'avait pas voulu choisir un homme qui convenait à son père, alors il en avait inventé un, un peu rebelle, très tendre et tellement désirable. Toutes les facettes de sa personnalité se mettaient en place à présent, telles les pièces d'un puzzle. Tout avait été orchestré.

— Je ne peux pas croire que vous vous soyez ligués contre moi !

— Que veux..., commença William Malone.

Mac lui coupa la parole.

— Laurel, laisse-moi t'expliquer.

— M'expliquer ?

Comme folle, elle tourna les talons et s'éloigna, courant presque. Les larmes avaient jailli dans ses yeux. Surtout ne pas craquer, ne pas pleurer, songea-t-elle en se précipitant vers les ascenseurs.

Elle traversa le hall d'entrée. Dehors, il y avait la queue pour les taxis. Elle remonta la rue, marchant très vite. Soudain, Mac fut là. Il la saisit par le bras, l'entraîna à l'écart des passants.

— Laisse-moi t'expliquer, Laurel.

— C'est ça, explique-toi, Mac ! cria-t-elle. Ou peut-être devrais-je dire Ted ? Quelle idiote j'ai été ! lança-t-elle d'une voix bouleversée.

— Laurel, c'était le seul moyen pour te rencontrer...

Elle le fusilla du regard.

— Jamais je n'aurais cru mon père capable de s'abaisser à ce point, jamais ! Mais c'est vrai, tu étais l'appât idéal, et excellent comédien avec ça, ajouta-t-elle avec mépris. Mais si toi et mon père pensez pouvoir me manipuler tous les deux, vous vous trompez !

— Mais de quoi parles-tu ? demanda-t-il avec un accent de sincérité qui faillit la déconcerter.

— Ne joue pas les innocents avec moi ! Il t'a entraîné dans ce petit jeu, je le sais pertinemment.

— Laurel, je t'assure que ton père n'a rien à voir là-dedans.

— Et tu voudrais que je croie un seul mot sortant de ta bouche ?

— Je n'ai rien manigancé avec ton père. Tout vient de ce test stupide.

— Quel test ?

— *Quel type d'homme vous fait craquer ?* Il était tombé de ton sac.

— C'est toi qui es tombé bien bas, Mac ! persifla-t-elle avant de s'éloigner, folle de rage.

Il se précipita à sa suite et la rattrapa par le bras.

— Ecoute, je sais que ça va te paraître dingue, mais à l'instant où je t'ai vue, j'ai tout de suite su que je ne retrouverais pas la paix tant que je ne t'aurais pas rencontrée. Et comme Sherry m'a dit que j'étais exactement le type d'homme que tu détestais, j'ai décidé de jouer le tout pour le tout…

Elle le regardait, bouche bée.

— Oh, je sais, reprit-il d'une voix contrite, je n'en suis pas fier. Mais quand tu es entrée dans le magasin de motos, Tyler t'a laissée croire que j'étais ce dont j'avais l'air : son mécano. Et alors qu'au bureau, tu n'aurais même pas posé les yeux sur moi, dans l'atelier tu m'as dévoré du regard… Je sais que c'était stupide comme idée.

A voir l'étrange regard dont elle le couvait, il crut un instant qu'il l'avait convaincue, mais quand elle ouvrit la bouche, il sentit tous ses espoirs s'effondrer.

— Mais à qui veux-tu faire croire ça ? Grâce à ce test, tu concoctes ce plan débile avec mon père, et maintenant que ça se retourne contre toi, tu me sers cette jolie petite histoire ? Non mais pour qui me prends-tu ? C'est lamentable !

Elle était folle de rage, et elle avait raison, mais même comme ça, il ne put s'empêcher de la désirer. De l'aimer. Il ne pouvait pas la laisser partir comme ça.

— Tu te trompes, Laurel, dit-il en essayant de la prendre dans ses bras. Je t'aime. Plus le temps passait, moins je voyais comment te dire la vérité. J'aurais dû, je le sais. Pardonne-moi.

— Et moi, répondit-elle en se dégageant, j'aime Mac Hayes, figure-toi, sauf que je ne sais même pas qui il est ! Et que je ne peux rien croire de ce qu'il dit, ce menteur !

— Les choses ont peut-être commencé par un mensonge, mais j'ai toujours été sincère. Dans Central Park, lorsque nous faisions l'amour, dans ton atelier. C'était moi, Laurel. Moi.

— Ça suffit, Mac ! Jamais plus je ne pourrai te faire confiance.

Le visage de Mac se figea soudain. Son regard se fit dur.

— Sais-tu seulement ce que tu veux, Laurel ? demanda-t-il en la saisissant par les épaules.

La colère et la frustration de ne pas parvenir à la convaincre se lisaient dans ses yeux.

— Si tu veux d'un homme dur et insensible, qui se moque éperdument de ce que tu éprouves, je peux être cet homme.

D'un geste, il la plaqua contre lui et elle ne put réprimer un petit cri de surprise. Mais, très vite, elle lui rendit son baiser. Comme pour le séduire, affirmer son pouvoir et le déstabiliser. Et quand il laissa s'échapper un gémissement, elle s'écarta.

— Tu vois, je sais exactement ce que je veux, quel homme il me faut, et ce n'est pas toi. Ça ne l'a jamais été. Mes parents ont toujours voulu contrôler ma vie et je les ai laissés faire, mais c'est fini. Ton plan a échoué. Quand on songe que c'est toi qui m'as appris à m'affirmer, à prendre des risques, quelle ironie, n'est-ce pas ?

— Laurel, je t'en prie…

Les larmes menaçaient, mais elle parvint à les refouler.

Elle avait le cœur brisé. Comment aimer un homme qui vous avait trahie ? Et pourtant, elle l'aimait à en mourir.

Elle se dégagea.

— Merci pour les leçons d'autonomie.

Ce ne fut que lorsqu'elle fut loin et certaine dc ne pas avoir été suivie qu'elle laissa libre cours à son chagrin et éclata en sanglots.

14.

Passer une soirée de rêve avec lui, ce serait :
a. regarder un DVD, lovée dans ses bras sur le canapé
b. faire l'amour toute la nuit
c. assister à un match de boxe exaltant
d. aller danser dans une boîte de nuit branchée
Extrait du test de *Belle et Sexy* :
Quel type d'homme vous fait craquer ?

Après avoir quitté Mac et repris un peu ses esprits, Laurel regagna son bureau. Elle s'installa à son ordinateur et rédigea rapidement sa lettre. Puis elle demanda à être reçue par M. Scott, à qui elle annonça sa démission. M. Scott eut beau essayer de la convaincre, sa décision était prise.

Aussitôt, elle quitta l'entreprise, sauta dans un taxi et passa à l'agence qui gérait le magasin de la 27e Rue. Elle régla le montant du bail et repartit avec les clés.

Puis elle rentra chez elle, se changea et appela Melanie Graham au musée.

— Melanie, j'ai besoin de votre aide.

— Que puis-je faire pour vous ?

— Il me faudrait un camion. J'ai quelques meubles à déménager.

— C'est comme si c'était fait. Où doit-on les prendre ?

Laurel lui donna tous les détails.

— Est-ce possible aujourd'hui ?

— Absolument. Je vous l'envoie.

— Merci, Melanie. Merci infiniment.

— De rien. A demain, pour la vente.

Laurel sauta dans sa voiture et prit la route de Cranberry. Au moins son histoire avec Mac aurait-elle servi à quelque chose, songea-t-elle en supervisant le déménagement de ses meubles pour le magasin de la 27e Rue, à l'exception de quatre pièces qui iraient rejoindre les créations Arts déco déposées au musée pour la vente aux enchères.

Elle passa ensuite le reste de la journée à travailler d'arrache-pied dans son magasin pour ne pas avoir à penser au regard bleu intense de Mac, à ses lèvres sensuelles et ses mains expertes. Mac qui lui avait menti, qui l'avait trahie.

Une chose était certaine, en revanche, elle se sentait désormais en paix avec elle-même. Elle n'avait plus à se mesurer à personne, ni sa mère ni qui que ce soit d'autre. Il lui suffisait d'être Laurel, tout simplement.

Le regard rivé au plafond, Laurel ne parvenait pas à trouver le sommeil. Plutôt que de rester des heures ainsi, elle se leva, s'habilla, s'empara du sac qu'elle tenait toujours prêt et grimpa dans sa voiture. Elle conduisit d'une traite jusqu'à Cranberry. L'horloge lumineuse du tableau de bord indiquait 2 h 45.

Lorsqu'elle arriva, elle se rendit directement dans son atelier. A la vue de l'espace laissé vide par le déménagement de ses meubles, une sensation de triomphe l'envahit. Elle alluma la lampe de son établi, dirigea le faisceau vers la pile de croquis qu'elle gardait soigneusement. Son choix fut rapide. Il se porta sur une chaise à dossier en forme de trou de serrure. Remontant ses manches, elle se mit au travail. Aussitôt, une sensation de calme, de plénitude, l'envahit.

Les heures défilèrent jusqu'à ce que la fatigue se fasse sentir. Elle s'étira pour détendre son dos, puis, posant un instant la tête sur ses mains, elle ferma les yeux.

Soudain, elle sentit une main se poser sur son épaule. On l'appelait. Elle grommela. Elle voulait dormir.

— Laurel, réveillez-vous !

C'était la voix de M. Hayes et il semblait inquiet. Elle ouvrit les yeux. Il était là, accompagné de Wanda.

— Venez, Laurel. Je crois que mes crêpes aux myrtilles sont exactement ce qu'il vous faut, ce matin.

Laurel se retrouva à prendre le petit déjeuner avec le couple et elle finit par leur confier son chagrin et ses problèmes. M. Hayes parut sombre, tout à coup. Il jeta un coup d'œil à Wanda et s'éclaircit la voix avant de parler.

— Vous aimez cet homme, Laurel ?

Laurel sentit une onde de chaleur envahir sa poitrine et elle eut l'impression d'être vivante pour la première fois depuis deux jours.

— Oui, répondit-elle.

— Alors, gardez-le. Ne commettez pas la même erreur que moi. J'ai cru mon épouse infidèle et ne lui ai jamais laissé la possibilité de s'expliquer. Ce n'est qu'après le divorce que j'ai découvert que je m'étais trompé. Si vous saviez ce que j'ai pu regretter cette décision !

Wanda glissa un bras autour de ses épaules tandis que Laurel essuyait une larme.

— Je ne vois pas comment je pourrais lui faire confiance.

— Essayez, dit Wanda.

Mac ouvrit la porte de son loft et se sentit étrangement désorienté. Il lui semblait qu'il y avait une éternité qu'il en était parti.

Il poussa un soupir, le cœur lourd. L'idée de perdre Laurel était intolérable.

— Eh, petit frère, qu'est-ce que tu fais là ? s'exclama soudain Tyler en éteignant la télévision.

Il regarda Mac et se redressa.

— Ça ne va pas ? Qu'est-ce qui t'arrive ?

— Laurel a découvert la vérité avant que j'aie eu le temps de lui parler.

— Oh non ! Je suis désolé, frérot, c'est ma faute ! Je n'aurais jamais dû me mêler de tes affaires.

— Et moi, je n'aurais jamais dû t'écouter, lança Mac, amer. Ton jugement en matière de relations n'est pas toujours fiable.

— Qu'est-ce que tu veux dire ? demanda Tyler en lui lançant un regard noir.

— Que tu ne veux même pas donner une chance à ton père !

— Ne recommence pas avec ça, Mac. Je ne...

Mac sentit toute sa colère sortir d'un coup. Sa colère contre lui-même, contre sa stupidité, et même s'il savait qu'il était injuste de la déverser sur son frère, il fut incapable de résister.

— Mais, bon Dieu, le coupa-t-il, tu pourrais au moins écouter ce que ton père a à te dire, ça ne te tuera pas !

A l'instant même où il prononçait ces derniers mots, il sut qu'il était allé trop loin. Tyler était livide.

— Voilà tout ce que je gagne à avoir voulu t'aider ! cria son frère en attrapant son blouson. Va te faire voir, Mac !

Puis il quitta le loft en claquant la porte.

Le silence retomba, pesant. Mac était tout à fait conscient

de s'être accroché avec Tyler parce qu'il était à cran. Son impuissance face à la situation avec Laurel le rendait fou.

Il revit son visage, la douleur et le choc dans son regard. Il avait trouvé et perdu la femme de ses rêves. Comment allait-il pouvoir vivre cela ?

Mac arriva à son bureau, le lendemain, en ayant à peine dormi. Il se sentait encore plus mal que la veille. Il décrocha son téléphone pour appeler Laurel, mais raccrocha aussitôt. Que pouvait-il lui dire de plus ? Comment la convaincre qu'il l'aimait et n'avait rien à voir dans un quelconque complot avec son père ? Pourtant, il décrocha de nouveau. Il fallait absolument qu'il lui parle, qu'elle l'écoute.

Il composait le numéro lorsque Lucy l'interrompit.

— M. Malone veut vous voir.

Il la suivit jusqu'au bureau de William Malone.

Cette fois, il n'y eut pas d'accueil chaleureux. Son patron avait le visage fermé et il ne lui proposa même pas de s'asseoir.

— Qu'avez-vous fait à ma fille ? demanda-t-il d'une voix sèche.

— On m'avait dit que Laurel ne s'intéresserait jamais à quelqu'un qui travaille pour vous, aussi ne lui ai-je pas dit que je travaillais pour vous.

— Je vous demande pardon ? rétorqua William Malone, furieux.

Mac voyait bien que son patron était sur le point d'exploser, mais il s'en moquait. A vrai dire, plus rien ne comptait plus à présent que de retrouver Laurel, et de lui faire comprendre qu'il l'aimait.

— Je l'aime, monsieur Malone, vous comprenez, et contre ça vous ne pourrez rien faire. Vous aurez beau me menacer, me virer, je m'en moque. Tout ce que je veux, c'est votre fille, cette femme incroyable qui a fait entrer la vie dans ma vie ! Oh, bien sûr, ajouta-t-il avec un petit sourire triste, pour comprendre ça, il faudrait déjà que vous compreniez votre fille, et vous ne l'avez jamais comprise.

En face de lui, le père de Laurel avait l'air de plus en plus furieux, mais Mac s'en moquait.

— A trop vouloir la protéger, reprit-il, vous avez oublié de voir qui elle était vraiment ! Et vous l'empêchiez elle aussi de voir qui elle était, mais elle a fini par y arriver quand même, malgré vous. Elle disait chercher quelque chose et l'avoir trouvé avec moi. En fait, ce qu'elle cherchait, elle l'avait en elle. Et moi, je sais à présent que c'était elle que j'attendais.

— Vous avez raison, je ne comprends pas, dit William Malone d'un ton glacial. Ce que je comprends, en revanche, c'est que vous n'avez plus rien à faire parmi nous, monsieur Tolliver.

Au musée, l'activité battait son plein tandis que Christie's installait son podium et que le commissaire-priseur jetait un dernier coup d'œil aux œuvres proposées à la vente. Laurel avait quitté Cranberry après avoir dormi quelques heures.

On installait les chaises, les fleuristes disposaient les bouquets. Tout se mettait en place. Il ne restait plus à Laurel qu'à passer chez elle se changer. Elle s'apprêtait à partir lorsqu'elle aperçut son père. Il passa devant les meubles et gagna la rotonde où étaient exposés les photos et documents personnels consacrés à sa mère. Elle le vit s'asseoir, fixer longuement un magnifique portrait d'elle. Puis il détourna le regard, baissa la tête.

Laurel sentit les larmes emplir ses yeux. Elle comprenait

à présent qu'elle s'était trompée, que ce qu'elle avait pris pour de l'indifférence n'était qu'une façon de se protéger. Son père souffrait encore de la disparition de sa mère, c'était manifeste. Elle comprenait également qu'interférer dans sa vie était pour lui une manière de compenser cette perte. Il n'avait jamais eu l'intention qu'elle découvre le rôle qu'il avait joué dans sa promotion. Mais elle était contente de l'avoir appris. Elle savait désormais quel chemin elle voulait suivre.

Le chemin qui conduisait à ses rêves.

Elle s'avança, vint s'asseoir à côté de lui.

— Papa, dit-elle doucement.

Il leva la tête et elle glissa un bras autour de ses épaules.

— Je suis désolé de n'avoir pu t'aider à préparer cette commémoration, mais c'est difficile pour moi. Ta mère me manque terriblement.

— Je sais, papa, je comprends.

— Merci.

— Je voulais te dire que j'ai démissionné de mon travail.

Il se tourna vers elle, surpris.

— Pourquoi ?

— Je n'étais pas heureuse.

— Je croyais que tu aimais la finance.

— Non, pas vraiment. Je l'ai choisie parce que c'était ce que vous vouliez, maman et toi. Moi, j'aurais préféré étudier le design et l'ébénisterie.

— C'est vrai ? Pourquoi n'en as-tu rien dit ?

— Maman ne m'avait pas franchement appris à affirmer mes choix.

— Oh, Laurel, elle n'aurait pas voulu te voir malheureuse.

— Oui, je sais. Je m'en rends compte à présent.

— J'imagine que c'était ce que voulait dire Tolliver avant que je le renvoie.

— Que dis-tu ? Tu as renvoyé Mac ? Pourquoi ?

— Il t'a menti, et je ne veux pas de ce genre d'individu dans mon équipe.

— Ce n'est donc pas toi qui l'as poussé à usurper cette identité pour entrer dans mes bonnes grâces ?

— Bien sûr que non, mais je comprends que tu aies pu le penser après avoir appris que j'étais intervenu pour ta promotion. Je suis désolé.

Laurel eut soudain l'impression que tout son être était parcouru de frissons, d'excitation mêlée d'inquiétude.

— Papa, tu te rends compte de ce que tu m'apprends ? Mac ne m'a jamais menti ! Et moi qui l'ai traité de tous les noms, alors que je l'aime !

— L'amour est une chose très précieuse, Laurel, dit William Malone, regardant de nouveau le portrait de son épouse. Il ne faut jamais le laisser filer.

Laurel se pencha et posa un baiser sur la joue de son père.

Mac se tenait à l'arrière de la rotonde tandis que les enchères allaient bon train. Il avait hésité, puis s'était finalement décidé. Il ne pouvait pas ne pas venir. Laurel était assise au premier rang, à côté de son père, son attention rivée sur le commissaire-priseur.

Il glissa une main dans la poche de son pantalon de smoking. Il aimait s'habiller et participer à des événements mondains, mais il aimait aussi ce côté aventureux et rebelle qu'il avait découvert en lui et il avait gardé la Ducati prêtée par Tyler.

La perte de son emploi ne l'avait pas affecté outre mesure. Il pouvait fort bien aller travailler avec Tyler ou encore avec son père. De toute façon, il possédait assez d'argent pour prendre le temps de réfléchir à ce qu'il voulait faire.

L'expérience qu'il venait de vivre lui avait beaucoup apporté. Il ne regrettait qu'une chose : qu'elle lui ait fait perdre Laurel.

— Mesdames et messieurs, nous ajoutons quatre pièces hors catalogue à notre vente d'aujourd'hui, indiqua le commissaire-priseur. Elles font l'objet d'une donation de la fille d'Anne Wilkes Malone, Laurel Malone. Cette dernière est l'auteur de ces quatre œuvres.

Mac sourit intérieurement. Il était fier d'elle. Il aurait voulu pouvoir l'embrasser.

Les enchères grimpèrent très vite, ce qui permit de faire rentrer une coquette somme dans les caisses du musée. Dès que la vente fut terminée, Mac s'éclipsa.

Tôt, le mercredi matin, Laurel frappa à la porte de Mac. Il lui avait été impossible de se libérer la veille. L'hommage rendu à sa mère terminé, il était grand temps, maintenant, de réparer une erreur. Mac n'avait jamais rien manigancé avec son père, il lui avait dit la stricte vérité. Dire qu'il avait fait tout cela pour la rencontrer ! Rien que d'y penser, la tête lui tournait.

Elle était allée voir Tyler pour obtenir l'adresse de son frère, mais Tyler avait d'abord refusé. Elle l'avait déjà bien trop fait souffrir, avait-il dit, mais elle avait su le convaincre qu'elle ne voulait que son bonheur, et il l'avait accompagnée jusqu'au loft de Mac. Et à présent, elle espérait qu'elle allait pouvoir convaincre Mac à son tour.

Mac se trouvait dans la salle de bains lorsqu'il entendit

soudain frapper à sa porte. Il fixait son reflet dans le miroir, se demandant s'il allait se raser et descendre acheter le journal au coin de la rue. Il fallait tout de même qu'il cherche du travail.

Il traversait le salon lorsque les coups redoublèrent.

— On se calme ! lança-t-il.

Les coups persistèrent.

— J'ai dit « on se calme » ! répéta-t-il en ouvrant grand la porte.

Laurel passa devant lui et entra sans attendre d'y être invitée.

— Tu peux aller chercher la chaise dans le couloir ? Ça n'a pas été simple de l'apporter jusqu'ici.

La chaise rouge au dossier en forme de bouche attendait Mac dans le hall. Laurel jeta un coup d'œil autour d'elle.

— C'est très beau, ici. Tu as plus de goût pour la décoration que ton frère. Cette chaise ira très bien ici !

Mac n'était pas de bonne humeur. Il souffrait et la présence de Laurel chez lui n'arrangeait rien, bien au contraire.

— Tu peux me dire ce qui se passe, exactement ?

Elle lui sourit. Un sourire radieux.

— Je te dois des excuses.

Mac sentit sa poitrine s'ouvrir, se détendre soudain.

— Des excuses ?

Laurel prit une grande inspiration et se lança.

— Toute ma vie, j'ai laissé mes parents décider pour moi et ce, par peur de prendre des risques. C'est ainsi que j'ai passé mon temps à mentir par omission à ma famille et à mes amis. Je l'ai fait pour me protéger. Si tu m'as menti, toi, c'était dans le seul but de faire ma connaissance. Je n'ai vraiment pas de leçon à te donner et je suis sincèrement désolée pour tout ce que j'ai pu dire de cruel.

Mac ne dit rien, attendant qu'elle poursuive, heureux de ce qu'il venait déjà d'entendre. Laurel s'approcha.

— Plus le temps passait, plus j'avais envie de te connaître, Mac, de prendre le risque, dit-elle d'une voix troublée par l'émotion. Tu es la seule personne à laquelle j'ai pu parler de ce que j'aimais vraiment parce que j'ai senti que je pouvais te faire confiance. Nous étions sur la même longueur d'onde, tu comprenais parfaitement tout ce que je te disais. Tu es un homme attentionné, tendre et... tellement sexy, ajouta-t-elle, des larmes plein les yeux. Je crois que c'est une combinaison plutôt intéressante.

Mac tendit la main, effleura sa joue.

— Laurel...

— Attends. Je n'ai pas encore fini. J'ai agi en égoïste et je me trompais totalement quant à ce que je voulais, ce qu'il me fallait. C'est vrai. Je ne t'aurais sans doute pas regardé parce que tu travaillais pour mon père. Quelle attitude ridicule et bornée, alors que toi tu prenais tous les risques, y compris de te faire renvoyer ! Je suis vraiment désolée.

— Grâce à toi, moi aussi j'ai appris quelque chose de très important. J'aime conduire des motos, faire l'amour pendant des heures, vivre. Avant toi, je ne vivais pas pleinement.

— Il semblerait que nous ayons tous les deux gagné beaucoup à nous rencontrer, dit Laurel.

Elle sourit, prit Mac par la main.

— Viens, j'ai quelque chose à te montrer dehors.

Il l'attira dans ses bras, la plaqua contre lui.

— Moi, c'est ici que j'ai quelque chose à te montrer, dit-il, commençant à lui ôter son blouson.

— Regarde au moins par la fenêtre.

Garée sur le trottoir, il aperçut une petite Ducati rouge, flambant neuve.

— Ne me dis pas que tu as transporté la chaise dessus ?

— Non. C'est ton frère qui l'a conduite jusqu'ici. Il est reparti avec ma voiture.

— J'imagine que tu sais qu'il faut un permis.

— Oui. Mon petit ami est motard, je suis certaine qu'il me donnera des leçons.

— Ton petit ami ? Je ne crois pas. Il me faut davantage. Je t'aime et je n'ai pas l'intention de te laisser partir. Je ne vois que le mariage, dans ce cas.

Laurel se jeta dans ses bras. Déjà, ses lèvres douces et chaudes pressaient les siennes.

— Dois-je comprendre que c'est oui ? murmura Mac contre sa bouche.

— Oui, oui et encore oui. Je t'aime, Mac le rebelle !

Épilogue

Merci pour votre merveilleux test « *Quel type d'homme vous fait craquer ?* » Grâce à lui, j'ai rencontré l'homme de ma vie. Néanmoins, je pense que les hommes ne peuvent pas être enfermés dans des catégories. Chacun d'eux est à la fois unique et multiple, mais votre test a servi de révélateur pour moi et m'a ouvert les yeux. Alors, encore merci et longue vie à *Belle et Sexy !*

Laurel M. de New York

Courrier des lectrices de *Belle et Sexy*

Le magasin de Laurel était rempli de monde et elle commençait à penser que le succès était au rendez-vous. Un article très élogieux devait même paraître prochainement dans la presse spécialisée.

Ces six derniers mois avaient été merveilleux. Mac et elle s'étaient mariés dans la superbe maison de ses parents, au bord de la mer. Mac travaillait à plein temps avec Tyler et il assurait la gestion des deux magasins en attendant de savoir ce qu'il voulait faire exactement.

Laurel rédigeait un bon de commande pour sa dernière création, un lit au design géométrique qui remportait un succès fou en cette période de Noël, lorsque la clochette de la porte d'entrée tinta.

— Salut ! lança Mac en entrant.

— Salut, toi ! répondit-elle.

Elle tendit le bon au client et le remercia. Lorsque Mac la rejoignit, elle glissa les bras autour de sa taille et posa un baiser sur ses lèvres.

— Tyler vient de m'appeler, dit Mac. Il est en route pour Cranberry.

— C'est génial. M. Hayes va être le plus heureux des hommes aujourd'hui.

— C'était une excellente idée de donner son e-mail à Tyler. Ainsi, ils ont pu se parler avant de prendre la décision de se voir.

— Je suis vraiment contente pour eux.

— Je t'aime, Laurel.

— Moi aussi, je t'aime.

Laurel plongea son regard dans le regard bleu si intense, si troublant, de Mac et lui sourit. Soudain, du coin de l'œil, elle aperçut une Mercedes noire qui se garait en face du magasin. Son père en descendit.

Elle sentit son cœur battre plus fort. Il n'avait pas été emballé à l'idée qu'elle investisse dans ce magasin et elle avait été déçue de ne pas le voir le jour de l'inauguration.

Il demeura un instant immobile, fixant la vitrine. Les guirlandes de Noël scintillaient autour des meubles exposés. Soudain, leurs regards se croisèrent et elle sentit son cœur s'emplir d'amour pour lui.

Mac se pencha à son oreille.

— Tu vois, il ne faut jamais désespérer. Les Malone mettent toujours un peu de temps à venir, ajouta-t-il avec un sourire malicieux en la serrant tendrement contre lui, mais ils finissent toujours par venir !

Le nouveau visage de la collection Or

AMOURS D'AUJOURD'HUI

Afin de mieux exprimer sa modernité et de vous séduire encore davantage, votre collection Or a changé de couverture et de nom depuis le 1er mars 1995.

Rassurez-vous, les romans, eux, ne changent pas, et vous pourrez retrouver dans la collection **Amours d'Aujourd'hui** tous vos auteurs préférés.

Comme chaque mois, en effet, vous y attendent des héros d'aujourd'hui, aux prises avec des passions fortes et des situations difficiles...

COLLECTION AMOURS D'AUJOURD'HUI :
Quand l'amour guérit des blessures de la vie...

Chère lectrice,

Vous nous êtes fidèle depuis longtemps?
Vous venez de faire notre connaissance?

C'est pour votre plaisir que nous avons imaginé un rendez-vous chaque mois avec vos auteurs préférés, vos AUTEURS VEDETTE dans les collections Azur et Horizon.

Les AUTEURS VEDETTE vous donneront rendez-vous pour de nouveaux livres vedette.

Pour les reconnaître, cherchez l'étoile... Elle vous guidera!

Éditions Harlequin

LE FORUM DES LECTEURS ET LECTRICES

CHERS(ES) LECTEURS ET LECTRICES,

VOUS NOUS ETES FIDÈLES DEPUIS LONGTEMPS?

VOUS VENEZ DE FAIRE NOTRE CONNAISSANCE?

SI VOUS AVEZ DES COMMENTAIRES, DES CRITIQUES À FORMULER, DES SUGGESTIONS À OFFRIR, N'HÉSITEZ PAS... ÉCRIVEZ-NOUS À:

LES ENTERPRISES HARLEQUIN LTÉE.
498 RUE ODILE
FABREVILLE, LAVAL, QUÉBEC.
H7R 5X1

C'EST AVEC VOS PRÉCIEUX COMMENTAIRES QUE NOUS ALLONS POUVOIR MIEUX VOUS SERVIR.

DE PLUS, SI VOUS DÉSIREZ RECEVOIR UNE OU PLUSIEURS DE VOS SÉRIES HARLEQUIN PRÉFÉRÉE(S) À VOTRE DOMICILE, NE TARDEZ PAS À CONTACTER LE SERVICE D'ABONNEMENT; EN APPELANT AU (514) 875-4444 (RÉGION DE MONTRÉAL) OU 1-800-667-4444 (EXTÉRIEUR DE MONTRÉAL) OU TÉLÉCOPIEUR (514) 523-4444 OU COURRIER ELECTRONIQUE: AQCOURRIER@ABONNEMENT.QC.CA OU EN ÉCRIVANT À:

ABONNEMENT QUÉBEC
525 RUE LOUIS-PASTEUR
BOUCHERVILLE, QUÉBEC
J4B 8E7

MERCI, À L'AVANCE, DE VOTRE COOPÉRATION.

BONNE LECTURE.

HARLEQUIN.

VOTRE PASSEPORT POUR LE MONDE DE L'AMOUR.

COLLECTION HORIZON

Des histoires d'amour romantiques qui vous mènent au bout du monde!

Découvrez la passion et les vives émotions qu'apportent à la Collection Horizon des auteurs de renommée internationale!

Captivantes, voire irrésistibles, ces histoires d'amour vous iront assurément droit au coeur.

Surveillez nos trois nouveaux titres chaque mois!

GEN-H-R

L'ASTROLOGIE EN DIRECT
TOUT AU LONG
DE L'ANNÉE.

Composé et édité par les

éditions Harlequin

Achevé d'imprimer en octobre 2006

BUSSIÈRE

GROUPE CPI

à Saint-Amand-Montrond (Cher)

Dépôt légal : novembre 2006

N° d'imprimeur : 61782 — N° d'éditeur : 12421

Imprimé en France